JN106183

ものづくり教典
A Scripture of Creation and Design

EDA Hiroshi

江田 弘

文芸社

まえがき

　ながい人生を振り返ってみて、よくまあここまで育て教えられ、導かれ、辿り歩ませていただいているな、とつくづく思っている。

　教科書で覚えていた偉人、世界のものづくりを導き、多くの人材を育てた世界を代表するものづくりの父と呼ばれるような碩学の人との出会いや、高邁な人格者からの心温まるお話など、沢山の賜ものを頂戴している。

　幼児期を過ぎ、6歳から12歳の児童期に、朝から夕暮れまで、とっぷりと大自然の中に入り、専ら親しむ生活をしていた。

　というのは、大農家の次男坊に生まれたこともあり、牛馬を農業に使い、多数の家畜を飼育し、ほぼ自給自足ができるような暮しであった。小学校に入る頃まで、電気がない時代であったので、夕方になると毎日ランプの火屋（硝子製の筒）の煤磨きをした。もちろん、束子はないので藁を丸めて作った。やはり、灰はアルカリ性の椿の木灰がよい。これは醤油の「麹種もやし」という麹菌にもなる。イースト菌発見のパスツール（仏）より、京都の麹屋は500年も前に、既に麹菌を作り、実用化する技術を発明し、使用していたのであった。ただし、日常の磨き粉は竈の灰を使った。

そうして四季を通じて、太陽の日の出、日の入りと共に歩む生活をしていた。こうして、冬には春の準備のために山に入り、下草を刈り、木々の枝下ろし（枝打ち）や木の葉浚いをして、冬の薪や肥料用としての腐葉土を作る。それを使い苗床を作ったり、また前後するが、庭に藁や木の葉を撒き散らし、腐葉土にする。このように冬には春の、春には夏のというように季節と相談しあいながら、天地の様子を窺いつつ、過ごすのが当時の農業国家の在り方であった。

　今こうして歩んできた道のりを振り返ってみると、家族はもとより多くの人びとから、自然との折り合いをとりながら、生きてゆくための暮しの作法を、児童期にほとんど学んでいたように思われる。

　学生時代やその後の独り身の時の家事や身の廻りのことは、何の苦も感じることなく、本務の仕事に差し障ることもなく、過ごすことができている。有難く、感謝いっぱいに心がまた満ちる。

　工作機械や機器具の研究、生産加工の開発という専門を学び、教え、導く道を進み、歩ませていただいた本体を支えているのは、やはり前述の児童期の豊かな自然とのふれあい、融合にあると思っている。日本は英国、独逸、米国の工作機械づくりを学び、今は、世界一位の独逸を1983年に凌いでから、輸出国第一位を続けていた。いずれ、この剛い機械の世界も変遷し、生体のような、知能化した、これまでとはひと味もふた味も違う、ものづくり機器具が

求められる道を歩むことになるのであろう。

ものづくりの起点と感慨

　動物・植物、微生物など、総て"土"の恩恵をうけて生きている。もちろん、太陽の光があってこそといえる。欧米のより人工的な文化に対して、日本は幸いにも、より自然と継ぎ目のない特有な文化をもつゆえに、最も自然融合に近い機器具を、自由に、かつ何の制約もなく、創造できる。しかも、日本の伝統文化が礎[いしずえ]にあるから、より届きやすい位置にある。ある一瞬の閃きが、永遠[とわ]の創造を生む土壌が備わっているのです。

　地球上の生命の起点の一つは土が存在する所以[ゆえん]にある。溶岩に包まれていた地球表面に微生物が誕生し、遂には植物が生え、草木から森へ、そうして人類が誕生し、地上の生植物を摂り、栄養とした。多分、自然からものを採取したり、収穫する始めのころは動物など他の生きものと同じように素手であったり、直接に口で獲っていたのかもしれない。しかしながらいつの頃からか、猿が蟻や蜜蜂の深い穴に細長い棒を差し込んで獲るようなことと、同じようなことをするようになったのに違いはなかろう。つまり安全にものを取るために、道具を使うに至ったのであろう。人類のこの頃が、道具に至るものづくりの起点といえまいか。同じような仕種[しぐさ]は、赤ちゃんが口や素手でものをとることを思い出せば合点が行くし、その後の箸やフォーク、スプーン、更に包丁から農機具となり、徐々に使用と対象領域

を広げたのであろう。現代の製品への使い方をみれば、よく理解できると思う。

このようにみてくると、ものづくりは生命の維持と一体となって、歩んでいると見ることができよう。少しでも安心と安全に、そうして心の癒しとなるようなものづくりが、本来の姿なのであろう。

ものづくりをしている時に味わう深い感激、あるいは辛い苦しみがあり、そうして仕事を終えて、振り返った時の仕事の後味の良さ、それぞれにものづくりの深い感慨が残るものであろう。こうして人は、人を含めた生きものの仕種や仕事から多くのことを教えられ、学び、いろいろな思い出がつくられてゆく。ものづくりの道を歩みながら人びとはいろいろな賜ものを授かる。「汗愛行者」とか、「二を全うして一となす」、「我以外皆我師也」など、心も洗われ、奥深い感慨に到達することにもなる。

ものづくりのゆくえ

草の生えた田圃わきの畔道に腰をおろして、父はメモをとりながら「このようなメモをまとめておきたいな」と、ひとり呟いていたことがあった。だが、それが叶うことのないまま去ってしまった。なにか間ができた時とか、なにかの時に、その「活字にしておきたいな」という一言が、ふっとした時に、どうも出てくる。学者の道を歩むようになって、論文、著書、記事などをとことん書き、活字にした。どうもその一言が効き、残ってしまっているのではな

いかと、今もってそう思っている。

「ものづくり教典」という大層なテーマを何故、分不相応をも弁えずに著したのか、といえば不相応のままでいいんじゃないか、ということを弁えた、ということになる。

　幸いにも私は旧制度の二期校大学、それも地方の大学に勤務することになった。旧制帝大とは教官や技官の配員差があるために、一人で帳簿づけから、備品、消耗品の購入、機械や器具の手入れ、操作、保守点検、写真の現像、焼付け、試験片の製作、データの計測、論文発表、投稿、助教授、教授の下働き、学生の指導や面倒見などを総て一人で行うことになる。

　しかしながら児童期や少年期の体験から、大変で困ったことはなかった。助手の頃は予算がなく、教授の属人的な身分であった。しかしながらいろいろ対応していただいた会社が沢山あり、学生との研究用の材料や消耗品などを無料で寄付していただき、今もって感謝している。

　このような立場から始まり、教え、学ばせていただき、本当によく育てていただいた。大学を退官し、その後専門に最も近い会社に就職させていただき、実学の世界に入ることができた。

　そうして今は、ゆっくりとした時間をもいただきながら、ものづくりのプロと直に仕事を行う世界に入り、児童期に手にした道具づくりに携わるようになった。なんと不思議なことだろうと思っている。今は児童期や青年期に夢見ていた、未来の夢の郷里、すなわちものづくりの初心の古里

に在るような道を歩んでいる。

　まえがきを閉じるにあたり、著者の心積り（こころづも）を述べさせていただきます。

　欧米はもとより日本は、物質文明という大きな土台をつくりあげ、世界の果てまで到達し、良くも悪（あ）しくも大きな影響を人工的につくり、気候変動をもたらしてしまっている。"焦眉の急"となっている人類の課題です。こうなった責任は私どもはもちろんですが、この課題を宇宙・自然循環連鎖体系とスムーズに継ぎ目なく暮せる、人類の生存体系を創造する責任を、人（ひと）ひとりまで求められている。

　物質文明という宇宙や自然の摂理を科学という手法を築き、使い、知識（情報）を発見してきたが、現在はそれを礎として、生体・生命文明の道を歩んでいる。宇宙・自然のビッグバン宇宙論に依拠した、人工的物質文明の秩序矛盾の調整を、すなわち人類一人ひとりにまで求められる領域に到達してしまっている。人類の生体・生命の維持は、衣・食・住がまかなえて、病気や怪我を治められる医薬が整い、健康が維持できることであろう。生体・生命文明の道のりが少なくとも、そうあってほしいという願いから、ものづくりの道を考察し、歩んでほしいと願いを込めて著した、と思っている。

目　次

ものづくり本職教典　前編
『"ものづくり"を本職とする自分』

本編
ものづくり本文

はじめに
——人のものづくりの土台——

　いま、明らかになっている人類の歴史は700万年にもおよぶと言われている。途方もなくこの長い歳月をよく生きつないで、今日も歩んでいる。天変地異が続く環境のなかで生命を繋ぎ、しかも地球上のほぼ全地域に到達し、そこの環境に馴染み、棲み、そのうえ生活をたて、一日いち日を暮し続けている。人とはなんと不思議な存在なのだろう。感慨無量と思うのは私くしだけではないとおもう。

　でも、どうして人類から人へ、そうして現代人がものづくりをするようになったのか、と問われれば、宇宙、地球、地域などのそれぞれもっている環境総合力の受動的作用によって、徐々に、しかも途方もなく長期間にわたる環境作用によって、自然に仕向けられ、しらずしらずの間に影響をうけているのであろう。

　素肌のまま暮している人類にとって、この影響が、宇宙や自然の淘汰力であるかどうか、というような疑問をもたないまま、今日の言葉でいえば、自然と同化し、一体化する是認的態度こそが善であり、理想であったのであるまいか。

　人類が脱アフリカを始めた、そもそもの理由は生得的であろう。身体が頑健で、知恵も体力もある人類が、権力と

13

権威を握る。そうでない人やあるグループというか、民族は、徐々に僻地に押しやられ、地力が低く、環境が劣っているような場所に追いやられるようになる。このような場所取りの争いの理由は、きちんとした理屈や道理があって始まったことではないと思う。今日より、より動物に近い生き方をしていた人類にとって、楽に、いつでも食べ物を獲って食べられ、水も、空気も天気もよいところに棲みたいと思うのは、本能的な態度であろう。

　そこで、この本能的態度のおおもとは、弱肉強食による優勝劣敗という、ところにたどりついてしまうのです。自然界においてもそうであろう。山川草木も、ましてや生植物も然りといえる。

　川においても、川の源も一つの滴くから始まり、それが数えきれないほど続き、清水が湧き、泉や湖沼となり、ついに小川から大河へ、そうして大海に注ぐことになる。そして再び同じ循環を繰り返すが、全く元の通りに戻ることはない。それは山・川・草・木、そして生物や動物、もちろん環境も総て変化しているからです。

　ましてや宇宙においても然りと言える。暗黒物質や暗黒エネルギーの正体は今現在はわからない。我々が一応認識していると思っている、この想像を絶しているビッグバンによって誕生したといわれている宇宙さえも止まることなく変化している。暗黒の物質やエネルギーが約96％を占め、我々が認識している宇宙は残りの約４％という。

　一転して、われわれの体の成り立ちをみてみよう。身体

の構造や機能をどこまでも分け入り進んでゆくと、分子から原子の結合、そうして電子がしょっちゅう軌道や準位を変え、そのたびごとに電流が、神経回路を介して一定のやりとりを送受信し、脳に判断を仰ぎ、意識化の有無を図っているようである。しかしこの段階を構成しているのは17種類の素粒子なのである。素粒子が相対的にどのような組み合わせややりとりをして、人間の脳を操作し、全身体に張りめぐらされている回路網に、一定の信号情報を送受しているのか、この巧妙な仕組みを構成し、暴走しない小宇宙空間を、人の平均寿命約80年に亘るほどの秩序維持の驚異、真に感謝にたえない。

　認識されている小宇宙は、誕生してから現在138億年といわれ、地球は約46億年で、これからも何百億年もかかって、人に意識できないほどの変化で、すこしずつ宇宙は変化の道を歩み続けてゆくだろう。

　人類、いや人は、このような有か無かわからないような大宇宙によって、創造されたことは間違いないであろう。私はこのような、有空間や無宇宙を含めた有無空間を在らせるこの秩序の主を、「宇宙生命力」、「地球生命力」と思っている。もちろんこれは、言葉としての表現であって、わからなくても秩序が生まれるというそもそもの起源は、大宇宙、小宇宙、そして地球が存在しているということを共同認識できる、多くの人びとがいるということが、間違いのない根拠といえると思うのです。

　人は、一日いち日、一週間ずつの月日、春夏秋冬の四季、

そして一年いち年の経過と共に幼年期、少年・少女期、青年期、中年期、熟年期、老年期と順を追って生を全(まっと)うする。人は一日を短いという。しかし凝縮すれば一生に相当する。宇宙138億年が長いとか、短いとか、想像もできないと人はいう。しかし私共の身体は、たとえば科学という認識方法の世界からすれば、小宇宙誕生の時からの素粒子からなる原子、分子から身体の全細胞は構成され、いろいろな機能も備わっている。考えの飛躍という人もいるかもしれないが、それはそれとして、宇宙138億年の歴史が人びとの全身体を構成しているとみなせましょう。そうしてゆくゆくは、138億年前の宇宙に戻っていくのであろう。しかしその時の宇宙は、また変化の過程にある。

　話の導入が長すぎたかもしれない。人一人ひとりがいま在ることは、そこに人という宇宙があることにもなる、と考えられることにもなるであろう。

　私達が、ものをつくるという初期動作を開始する身体そのものは宇宙という総合の土台のうえに『事を始める』ということになります。そうしていろいろな知識が蓄(たくわ)えられている脳によって意識化され、それらが心によって総合化され、一つの纏まりとして、表現されてまいります。数字であり、絵であり、音であったり、匂いでもあるのです。すなわち感情や感覚などを総動員して、設計図を描いたり、仕様を文字や数字に表して、人びとが共通理解できる舞台に提案することになります。

　ものづくりの設計過程の見本はすべて自然の世界に依存

しますが、われわれは、その行為をすべて無意識のままに
そうしているのです。

　脱アフリカによって、人類は滅亡なども経験しながら、
生き残り、生命を繋ぎ、地球上のあらゆる場所に辿り着い
ている。そうしてその場の環境に馴染むために、日々いろ
いろな工夫をこらしつつ、ほそぼそとした暮しの生活環境
にまで立ち上げようと歩んできたのであろう。すなわち環
境即応の生活樹立を目指したのです。この生活態度はその
場独自というか、独創的な文化や文明に成長していくこと
にもなる。しかし他方では、他環境地の人びとと、文化や
文明による衝突を生む原因にもなる。

　このようにして、ある場所、ある場所で、環境と深いつ
ながりや、影響を受けその地域特有の文化・文明をもった
生活の仕組みが生まれ、育ってゆくことになる。しかしな
がらアフリカで生活している民族にとっては、人類が誕生
してその場での積み重ねてきた生活態度は、環境の異変が
ない限り、そうそう生活に困ることはなかったので、文化
や文明はその場が最適のままの状態で、つい最近まで続い
てきたとみられよう。

第1章
環境とものづくり

第1節　その場環境とものづくり

　人は動物と同じですから、原始時代に遡れ<ruby>ば<rt>さかのぼ</rt></ruby>のぼるほど、少しでも棲みやすさの最適な場所を求めて移動し、定住しようとしたにちがいない。そうすると動物同士が争い、強いものがその場を占めることになる。こうして弱者は、また別の場所を求めることになるが、遂にはある環境の場所に住みつくことになる。そうなると、その場所の地形や環境、一年を通しての天候の変化、並びに山川草木などの有無を含む自然の状態に適応した生活を組み立てようとする。そうして衣食住をまかなおうと日々をつとめ、長い年月にわたって、何とか生命を維持し、歩み、子孫を産み育てる生活の形が芽生え、整ってきたのであろう。ここまでに至る生活様式の組み立ては、自然、環境との直接対応のものづくりとなる。人のこのような自然直接対応のためのものづくりは、つくるというよりは自然やその周辺環境にあるものを「収穫」、「採取」、「拾得」、「捕獲」などの行為、即ち「自然環境からの"もの"の直接利用」ということになろう。このような成り立ちからものづくりの「芽」が芽生えたという推測は、地球の北極圏や熱帯雨林のジャングルに生活している人びとからも想像できよう。

　以上のような自然直応型に近い生活に比べて、ある程度温和な天候で、春夏秋冬も大きな激変がなく、日照時間、四季の耐寒や耐熱に対する厳しい苦痛などが大変動しないところでは、前述の「自然環境からの"もの"の直接利用」する生活に対し、天気・気候の直接的苦痛が軽い分だけ、「自然界が変化することに対して疑問をもつ」というような人が出てくるのも決して不思議なことではないと思う。いわゆる温帯地域に棲み着いた人びとが、現代に至るものづくりの発祥の起源になったとみなせましょう。

　生物学的ものづくりから文字の発明による文化的ものづくりの発祥は、紀元前8000年から7000年頃に、ティグリス・ユーフラティス川の下流域のメソポタミア地域に現代のものづくりに至る初期構造が誕生したと言えます。

第2節　その場環境の特有のものづくりの誕生

　なぜティグリス・ユーフラティス川の肥沃な扇状流域に住みつくことが可能になったのか。それはアフリカの人類誕生地に比べると、気候がより温暖なうえに、四季のうち春から夏になるにつれて、前年の種などが落ちて、植物が育ち、そのうちいくつかの種類の植物の実や果実が食糧になることを発見したのであろうと想像できる。

　四季を通じた生物や植物が、一年を通じて一定の循環をもっていることを、当時最も皆から尊敬され、神事を 司っていた神官達が、何か一定の変化の要因があるのではないかと疑問をもつようになってきた。こうして河川が氾濫す

る時期が徐々にわかるようになってきた。ある時期に大洪水が起きて、折角育ってきた植物や果木類が全滅するような苦い経験を何度も何度も味わってきたに違いはないであろう。そうして少しずつ、知恵を絞って河川の流れを変えることや、流れを分岐するようなことも、いろいろ試み、遂に灌漑に類するような、初歩的な用水方法を試してみたのであろう。更に少しずつ改良しつつ田畑に水を引いてみたりして、土地を潤すことになることにも気がついたのであるまいか。これは大変な発明といえる。その場環境が春夏秋冬のどの時期に、どのような気候、つまり気温の変化、雨量変動などと共に、その時々に対応して発生し、成長変化してゆく植物や生物の変化というか、循環について少しずつ、季節循環があることを学び、見出したのであろう。こうしてこの人びとは、その場所に定住することが可能となり、次第に衣食住をも、その場環境に応じた暮しを立てる方法、そしてその方法を樹立してゆこうとする歩みも始めるようになったのであろう。

　同時に、人びとは同じ仕事をつづけているうち、仕事のある部分というか、領域を分担した方が、よりその場の環境を十分とりいれた仕事の成果が得られることをもおぼえ、仕事もより楽にできるようになり、余裕も生まれてきた。こうして「こと」を行うということによって、いろいろ経験することから気付きはじめた。

　即ち、その場所に入植した時の暮しに比較すると、大いに意義のある生活をつくりあげてきたことになる。しかし

ながらよくよく振り返り、辿り、歩んできた道をながめて
みると、総てその場の自然環境に学び、教えられてできた
結果が、その生活の土台になっていることがわかる。この
ように古代における始原的な生活態度の構成は、その場の
生活環境からその場特有の、かつ自立的な生活が生まれて
くるように受け止めているが、それは地球上のどの場所で
あろうと、その環境に直接影響を受け、何度も体験しつつ、
教えられ、そして学んで、蓄積した結果から、それぞれ特
有の生活態度が生まれてくることになる、と言えるでしょ
う。

　私共人間は、他の動物や植物を含めて、地球を代表してお
り、自然環境に、総て密接に依存しており、自然循環との
連鎖の繋がりが維持されることによって、生きている。も
しもこの連鎖がひとつでも欠けてしまえば、滅亡すること
になる。もっとはっきり言って、「植物が生育しなくなった
ら」と想像してごらんなさい、ということになります。

　四季が日本のようにはっきりせずに、冬と夏の場所とか、
北極や南極のようなところもあるが、日本の場合、春・夏・
秋・冬がある。春になると、枯れた草木には眩しく、いと
おしいほどの「発芽」、「青葉や緑」、「幾千億というか、数
えきれないほどの虫や幼虫の誕生」、そして「幾万というか、
それ以上多くの鳥の産卵から雛の誕生」、「馬や牛など多く
の動物の誕生」が、ほとんど1年1回というような周期で、
ほぼすべての生・植物の誕生が春に始まる。人間は脳の発
達により、複雑な心をもったために一年中、子が授かるよ

うになっているが、他の生植物は、常緑樹でさえ、年輪をもち、一年毎（ごと）の周期をもっている。一年毎の生植物のこの歩みは、「自然との共生反応」ということになろう。それゆえに、生・植物をつくっている生殖細胞も体細胞もその場環境そのものにゆだねられ、それぞれの細胞が生かされ依存して、生きていることになる。よく経験することでありますが、ある動物を、また植物をその場の環境を変えて、元の場所と異なった環境に移動して生育した例を、多くの人びとはご存知のことでしょう。その結果、大部分の場合には、困ったことになってしまうのです。

　一方において人間のみが、二足歩行という大変化を起こし、頭骸骨にだけ囲まれ、地球重力のみにだけ力の作用を受ける。即ち、より自由な「脳の環境」をもってしまっている。脳は頭蓋骨にまもられているため。脳骨や脳筋肉が発生し、構造化することはなかった。人類発生時の700万年前の脳容積は約300㎖、200万年前約750㎖、そうして今から6〜7万年前の脱アフリカの頃から急速に脳の進化が加速し、現生の人類に至るといわれているホモ・エレクトスにおいて1400〜1500㎖にも達している。

　また、人間の出生時の脳には男女とも有意差はなく、370〜400g、成人では男性1350〜1500g、女性では1200〜1500gであり、大凡（おおよそ）体重の約2％に相当する。一般に女性は男性より体が小さいので脳も少し小さくなるといわれている。さらに人類は、脱アフリカ（6〜7万年前）の頃から、西欧、東欧、中央アジア、東アジア、北米、南米など

多くの場所や地域に急速に分散し、増殖した背景には、ヒトが衣服を着るようになったことが、遺伝子の研究から明らかになっている。

　こうして人類は、その場環境において、肥大化した脳によって知恵を蓄えつつ、そこに適した暮しをたてるために、変化する自然現象や、天災や人災など多くの体験をしつつ、遂にはある一定の暮しが可能な生活態度というか、対応や方法をたてることができるようになったのではあるまいか。

　人類は、常に地球自然、環境、その場の独自性をもつ地域性と何とか折り合いをつけつつ歩んできたが、それでも地球との関係は直接見えない。あるいは変化の感知能力を超えている、宇宙の無限といえるほどの信号や情報の想像を超える世界に住み、生かされている。いわばわれわれ人類は、宇宙の絶妙なその場環境を与えられ、「類い稀な、生命を授かった」ということになる。

　そこで人類にとって最も大事なことは、「今を最も有意義に努めること」と言えます。人は、その時幸せであったり、不幸であったりします。が、それでも善良に生きようと心懸け、無理せず、少し間をとり、余裕をとりつつ努め、一歩、いっぽずつ、最善をつくし歩み続けることにあると思います。

　人類はどの地にたどりつこうとも、ある程度の生活を立てられるようになった。しかしながら、ある地域とある地域を比べると、ご存知の通り地域間格差が生じており、貧富の差が歴然としている。人類にとってどのような富裕とか

貧困とかが最適なのか、その基準の最適性を見出し、人それぞれに暮しの適性を見出すところまで、人類はまだそこまで、成熟していないのではないかとみられる。哲学、宗教などだけでは、日々安心し、安穏な暮しを歩み、立てることが可能だろうか、現代の人類に課せられている問題のひとつといえます。

　以上のような歴史を人類は積み重ね、また崩れ、人びとの危機の瀬戸際にまでも追い込まれ、何とか耐え凌ぎ今日に辿り着いている。滅亡もせずにここに至った最大の理由は、巨大に増殖した脳細胞が、知能という機能をあたえられたことであろう。そうして自然現象の動乱や変動という「動くもの」というか、「変化するもの」の原因や結果の関係を分析し、総合することを覚えたのであろう。さらに、「動く、そして変化」という因果を、その場環境において蓄えてきた知識の能力を総動員して、その時代の水準での対応策を講じる方法をも、習得したのではなかろうか。

　このような経験は、いずれも自然現象に基づく変動による『事』であり、その場環境が異なっても、違った内容で、程度の差こそあれ、長年に亘って多くの事象に出合うことになる。この長年に亘って積み重ねられた蓄積はその場所の風土となり、その場特有の生活の形、あるいは特産物的生植物を生むことになる。こうして一年、またいち年と繰り返しつつ、時には取捨選択しつつ、徐々にその場所に根付いた、いわば、風習というような生活様式が生まれることとになる。

　この生活は形態を生み、祭祀、祭礼、それに伴う声明
その地独特の唄も、神仏の祈り謡から生まれることになる。
ひとつの例を言えば、日本の仏教の経典のお経は、祭りう
たから始まり、歌舞伎の語りや謡、民謡、長唄、演歌など
の源になっている。また欧州のオーケストラやオペラなど
もすべて教会の祈りのミサ曲が始まりになる。

　こうして年代を重ね、結果として伝統というような宗教
的儀式に依拠する文明のおおもととなるような、風俗の習
慣が生まれてくる。ここに至るまでの生活の状況変化が、総
てものづくりと、何らかの形で繋がっているのです。即ち
その場環境に到達し、生活を始めたころは、ほぼ環境受動
の生活であったろう。

　ところがいろいろな自然現象や災害に遭遇し、知識や知
恵を発動することとなってしまった。これこそが受動的自
然体生活から、能動的な自発動生活へと変化し、転換させ
る芽を生んでいることになる。

第3節　ものづくりの知恵や知識の発祥

　断片的な説明になると思いますが、人類のものづくり起
源を遡ってゆくと人の起源に辿り着きます。現在の科学的
手法の知識からすると、人類の起源は太陽、地球環境、宇
宙あるいは光、空気、水等々の組み合わせの混沌とした、
何らかの要因によって、核酸という細胞分子が誕生したこ
とによる、と言われている。しかしこのなぜの真相は生物
学者としても難解だということなのです。

　そうして単細胞の分子であった生殖細胞が、ある何かの
きっかけで、単細胞が分裂し、多細胞への大変態を起こし
た。多細胞になると次々と分裂を繰り返し、数えきれない
ほどの生体に生成したという。もちろん各細胞には利己的
自己という、自己の最適能力を発揮できる能動的発動性を
もってしまっていた、ということなのです。

　そのおおもとのひとつは遺伝子をもってしまったことに
なる。こうして細胞分裂の結果、現世人類に至る頭脳、心
臓、肝臓など五臓六腑をもち、細胞の入れ換えという、細
胞の生死を伴うことにもなった。

　ものづくりということから、特に関係が深く、直接的な
影響を受けるのが、「心の起源」といわれる「脳」の存在と
いうことになる。脳の細胞は樹枝状のような長い細胞網の
一端から電気信号を入力し、他端からその信号情報を出力
する機能をはたしている。脳全体に対して各役割をはたし
合っているそれぞれ、網目のようにはりめぐらされている
脳は、体内・外の信号や情報を意識のレベルにするかどう
か判断し、意識を司る脳に格納されることになる。体内・
外からの信号や情報は、五感覚と感情からの入力であろう
が、その信号情報を意識とすることを判別する時の閾値を
どのようにして決定し、されているのか皆目わからない。
一旦意識化されると心の窓が開くことになる。即ち脳によ
る意識化が成立すると、心のウインドウへ信号情報が入力
し、流れ込むことになる。さてここが、「心の真骨頂」と
なる核心そのもので、入力の信号情報を、これまでに蓄え

ている知恵と知識を総動員して、整理整頓をおこなうのである。即ち、心は信号情報の統合能力をもったことになる。

その結果、心によって整理された「事」、即ち「事の保存の有無」ということが発生してしまうことになる。この信号と情報の流れは、脳の各領域に一定の回路を構成するという仕組みをも発生させてしまう。

即ち、記憶脳の発現といえる。記憶にも信号や情報の強度差がある。つまり、記憶脳は深度差を生じながらも逐次階層的に格納されていく。

しかしながら記憶脳の格納は、離散的（ランダム）に行われている訳ではなく、時間的にも、能力的にも有益であり、かつ頻繁に出力される情報ほど迅速出力可能なように、記憶格納庫に優先的に配置され、整理されることとなる。この仕組みというか、システムによって、一つの新しい格納庫が生まれ、それが新しい知識となり、また新しい知恵となり、新しい記憶知に生まれ加わり、蓄積されていくことになる。

人類の細胞が地球に誕生してから想像を絶するほど長い細胞の時間としての経験、そして多細胞から、生物、類人猿とどのような経過を経て人類に至ったのか、今なお説得力のある確実な人類史を、なかなか掴みきれないでいるのが実情であろう。

それにしても、人は卵子という細胞に、何億もの精子細胞のうちのたった１個が卵殻を破り侵入すると、たちまちのうちに卵壁をつくり、細胞分裂が始まり、人体の構造と

機能がすべて受動的、つまり生得的に形成される。この大
本は核酸分子（＝遺伝子）の自己複製機能によるものであ
り、核酸分子の自己複製の調節や消長、また細胞の代謝、
成長、増殖などの人体活動などの中枢機能をすべて支配す
るといわれている。この過程は、人の意志や心のおよぶ領
域ではなく、生得的に行われる受動的世界にある人体づく
りといえる。人は約10ヶ月子宮内で生育されると出産し、
人びとが生活する環境に晒されることになる。この後は20
歳前後までいろいろなことを学び、人間としての人体構造
や機能が徐々に整い、自立の道を歩むこととなる。人は生
まれて、まずオギャーと力強く泣く、お乳を与えると泣き
やみ、すやすやとよく眠る。この仕草は本能的な自己欲求
の行いであり、知恵や知識による能動的な行為ではない。
　それでも、人は本能的知恵と知識を自己発動しつつ、多
次元的な世界から、多種多様な信号や情報を受信し、それ
を整理して一つの纏まりを、いろいろな情報として発信で
きるよう、なんとかとりつくろいながら、ほんの少しずつ、
一人前に成長してゆくことになる。この人となりとなる20
歳前後までの期間が、知恵と知識を毎日毎日せっせと蓄積
し、身体の形成と人間性の修養をしつつ歩み、大成する大
切な時期になるわけです。こうして人びとは、徐々に蓄積
していく知恵と知識を駆使しつつ、意識化された記憶を掃
引し、心を整え、主観的、客観的な態度から普遍的解を求
め、歩んでゆくことになるでありましょう。

第4節　知恵と知識の発現

　人類は約700万年前に誕生したと言われている。地球上のアフリカがその生誕の地として認められているが、当然その頃から、人類は常に自然環境と共に歩み、宇宙とすべて向かい合って営み続けてきた。宇宙・自然界でいろいろな現象が発生すると、子供や赤ちゃんでさえもびっくりしたり、笑ったり、反応することはご存知の通りで、ましてや大人においては、さらに加えて多くの疑問をもつことも、何ら疑う余地はなかろう。

　それゆえに、人類は宇宙・自然現象から常に学び、学びのなかから暮しに使い、利用できるものを少しずつ、少しずつ取り入れてきたのであろう。取り入れた生活手法や手段、または生活具は、ある時期においては有効であったとしても、使用途中に事故を起こしたり、あるいは何らかの問題を惹き起こすことも、全くないとはいえないでしょう。すると人間は、また同じことが起きないようにしようとして、ああでもない、こうでもないと考え、工夫する人が現れてくるのは、ごくあたり前のことではないか、といえまいか。

　このような生活態度の積み上げが何百万年も続き、約6万から7万年前頃にかけて、宇宙や自然現象により強く関心をもつような人が現れるようになったのであろう。このような人びとの蓄積が徐々に高じ、遂には現代歴史となっている四大文明が誕生することとなった。

　なかでもより深い思考過程や、汎自然的で普遍妥当性の高い文明がより広く、かつ勢いをもって人びとの生活や多

くの民族に取り入れられていくことになった。もちろん、人びとそれぞれの民族や国々のもつ伝統文化などの独自的文明との軋轢など、文明衝突を起すこともあったであろう。それゆえに異文明間の融合には、一方的な例、うまい具合に折り合いがついた例、さらには革新的な例など、その民族や国柄に根ざした融合の結果として、様々な生活様式の民族や国々が誕生することになる。

　多分以上のような経過を経ながら、蓋然性が高く、かつ人間に心の安心をもたせるような、つまり宗教というか哲学のような根本原理が土台となって座っている文明が、より多くの人びとに受け入れられたのであろう。その文明はエジプトに起源を発し、結果としてギリシャ文明を生むこととなった。

　このギリシャ文明を礎とする文明こそが、現在のイタリアのローマ文明、そうしてフランス、イギリスを経てドイツへと、関係の深い国々も含め現在に至る西欧文明を花開かせることとなった。

第5節　西ヨーロッパの科学の発見と完成
──現代のものづくりの源──

　西ヨーロッパの科学の発見の根本は、ギリシャ文明が宗教から哲学を生んだことに起因する。よく知られている「宇宙は数学的構造からなる」という思想や哲学がすでにみとめられていたことからもわかる。

　しかし科学の世界を知り、樹立に至る前の西欧は、例え

31

ば紀元600年から1000年は、どんな基準で測っても、イスラム、インド、中国などの文明の水準はヨーロッパ文明をはるかに凌いでいた。よく言われている暗黒時代は、未開の闇に沈み、ギリシャやローマ文明の学問、文学、芸術を擦り切れたようにしても、使い続けていた。しかしながら紀元1000年を過ぎてから、約400年間、暗黒から目覚めつつあったものの、イスラム教徒（主にトルコ）およびモンゴルによって、一連の侵入と征服が生じた。こうして1000年から1500年の約500年間、中国、中東、インド、そして東欧を支配することとなった。

しかしながら、紀元1500年頃から軍事、自然観から科学の創造、動力という考えからの技術などについて、西欧のある人達のなかに、際立った探究心をもつ人が現れてきた。1500年以前には、オスマントルコ帝国やモンゴル帝国の強力な軍事力や技術力の強さにより、何度も侵略を受けたが、支配されることはなく、何度も何度も繰り返し抗戦し、征服されなかった。この抗戦力の主因は、侵略帝国によって生じた国内の攪乱のなかに文明衝突の作用と反作用が大きく働き、ある場合には増幅、あるいは過減衰効果が発生したのではないか、とみることができよう。人類社会に限らず自然現象においても、このような大変質を起こすことは、よく経験することです。即ち、水を徐々に加熱し、オーバーヒート、つまり過熱状態に入ると突然に衝突噴流による突沸現象を起こし、液体から気体に大変態する。

発見や発明による学術の樹立の影響は、創造的造船技術

の大変態をも胎動させた。その典型がクリストバル・コロンブス（1492年）、ヴァスコ・ダ・ガマ（1498年）、フェルナン・マガリャンエス（＝マゼラン、1522年）によって始まった大航海時代であり、西欧の海洋制覇による富の獲得時代をもたらした。

　1500年前後から人々のなかに、注意深く宇宙や自然のいろいろな現象を観察し、測定記録し、それを数字や記号（主にギリシャ文字）によって書き表そうと努力する独創者が現れ始めた。

　この段階に至った最大の要因は、1500年から1648年における宗教改革とルネッサンスの勃興といえる。それもマルティン・ルター（1483-1546）が聖書のラテン語をドイツ語に翻訳したことに端を発している。こうして宗教改革は、教皇、宗教者、非宗教者などの間で論戦が白熱した。抗争も起きたために、調和を図ろうとする努力がなされた。遂に教義の論点も明らかとなり、神学的な真理を超える、つまり宗教や神学から解き放され、哲学という学問、更にその哲学から科学が生まれる道が開かれることとなった。

　人間の脳は、"なぜ（Why）"ということと、"どのようにして（How）"という思考能力をもっているが、その他の脳能力の存在は今のところ、わからない、とみられている。それも、"なぜ"ということはどこまで思考しても、なぜという思考の疑問は尽きることはなく、真理をとどめることは不可能といえる。理由は思考対象の宇宙も自然も千

変万化の過程を常に歩んでいるからです。しかし、それより ビッグバン宇宙、暗黒物質、暗黒エネルギーによるより 以前の非宇宙となると、途轍も無い難問になる。

　一方の、"どのようにして（How）"という思考も、ある 限定された時間と範囲という空間条件においてのみ解答が 得られる。例えば、時間と範囲に対応して、初期条件と境 界条件を与えると一つの解答が得られる。しかしその答え も、初期と境界の条件を変えれば、数字ゆえに、無限に解 答が得られることになります。この理由は、Why、How の思考が、宇宙・自然界からの発見知識であり、それも科 学という原因と結果が明らかとなった現象についてのみの、 限られた知識ゆえに、そうなります。

　科学というと、万能のように受け止めている人もおりま すが、宇宙・自然現象について、Why、Howという思考を 働かせて、原因と結果がほぼ一致した、として発見した現 象のみが、新知識となるだけなのです。ですから、我われの 脳が感知不可能な現象は、総て削ぎおとされてしまいます。

　また幸か不幸か、人間の脳感知能力は、人間の生命に対し て過激であるほど、また厳しい刺激と強いストレスほど高 い感知能力をもつように進化してきているといえよう。し かし、脳感知の限界閾値を超える世界の知識、つまり宇宙 時間や自然時間という途方もない時空において生起してお りますから、人間の感知能力ではとても及びもつきません。

　今でこそ文系とか理系などといっているが、元をたどれ ば哲学からの体系にあります。

　現代の科学に至る哲学の根本は、ルネ・デカルト（1596-1650）であろう。当時デカルトは宗教改革のまっただなかにありながら意識的に神学的論戦に背を向け通した。そして数学的に厳密な哲学の樹立をめざした。さらに医学の世界の神仏祈願いっぽんやりの権威的態度からの脱却をめざす人びとも現れてきた。つまり人体を解剖し、より正確に観察し、人体の作用・反作用など原因と結果をよく把握し、医療を進めようという科学的態度への挑戦が、成功をおさめるようになったことです。こうして多角的な方面から、現代に至る西欧文明の自然科学の幕が開かれるに至ったのです。

　一方において、西欧文明は、"普遍的な真理を強制するのではなく、人びとそれぞれ意思を異にする"という「異なる意見をもつということの意見の一致」という人類史上最大の発見をしたのであった。このようにして西欧文明に至る胎動は、外の世界からの影響、干渉、権力によるのではなく、内部革新抗争などによって、知的な多元論の土壌が徐々に力強く根付き始めたのです。このようなイノベーションの最中にあって、科学という概念を含め、客観的な方法のもとに、宇宙・自然現象に対して系統的に測定記録し、一般的法則を発明しようという重要な一群の人達が民衆の中にも生まれ始めたのでした。

　なかでも大きなきっかけになったのが、ニコラウス・コペルニクスの太陽の周囲を惑星が廻る太陽系宇宙に関する『天体の回転について』（1543年）の発表で、天動説から地

動説への大転換であった。その後、ヨハネス・ケプラー（1571-1630）は、非常に苦労して計算結果を発表し、『惑星が軌道内で楕円状の運動をする公式』を発表し、コペルニクスの仮設を修正する重要な発見をして、コペルニクスの発見の疑問に答え、それまでの反論を取り除いたのであった。加えて西欧文明の萌芽形成に力強い役割を果たしたのは、ガリレオ・ガリレイ（1564-1642）が『宇宙・自然に対する数学的表現』を発表したことで、彼は神学的な真理を超え、しかも宗教改革の真っ只中にあっても天文学、物理学などに熱心に取り組んでいたのです。その一つは1589年、落下物体の実験を踏まえて、革新的な実験方法を発明し、『動きについて』を発表し、望遠鏡と測定観察による結果を数学にもとづいて考察し、遂にコペルニクスの天文学を不動のものとする貢献をはたした。この時期が科学という方法が成立した始まりといえよう。

　あえて、科学という一学問の定義を述べると、『科学は宇宙・自然のいろいろな現象を観察・測定や理論的方法によって分析し、客観的に原因と結果が一致する答を導くこと』、この答を発見と呼びます。つまり宇宙・自然現象によって発見した答が、科学知識となります。もちろん知識は科学だけによって生まれるものではなく、感覚・感情などにかかわって、知識となることもあります。ついでに、技術の定義もしておきます。科学技術などといって、科学技術を同体のように扱っている場合がありますが、全く性格が違います。「技術は、人類が蓄積してきた全知識を総動員する

行為」、つまり知識の総合から生まれる"物"を設計し、人工物を創造することです。それ故に、宇宙や自然の世界には、全く存在することはありません。この知識の総合によって生まれた技術の創造物を人間の社会に、人の世に送り出すことを、発明と定義しているのです。それゆえ「創造」は、科学の世界にはありません。

　更に、科学と技術という西欧文明を独創した根本はどこから、と遡ってゆくと、エジプト、メソポタミア、ギリシャなどの文明の底流を流れている宇宙の起源探究の道を歩み続けてきたことがわかります。この道は、物質文明の特異点となる想像を絶する数兆度の熱エネルギーをもつビッグバンという宇宙開闢に辿り着く。宇宙開闢から生れた物質は17種類の素粒子といわれているが、なかでも物質の質量を生むヒッグス粒子（2013年発見）が物質文明の起源の一つといえよう。ご存知のようにCERN（欧州原子核研究機構）の世界共同研究の成果によりますが、陽電子同士を衝突させて観測するための装置のエネルギー密度は、ビッグバンエネルギーに近いことであろうと推測する。

　なぜ宇宙創世まで話を辿ったのか、と問われれば、"技術開発による新製品（人工物）開発は、常に上位のエネルギー密度を確保して、創造物（製品＝人工物）をつくり、人間生活の快適性、利便性、効率性を得ること"を述べるためです。多くの文明が勃興、衰退消滅しながら人類の歴史は続いていますが、いずれの文明においても宇宙・自然から学び、生活をたてている。しかし何らかのきっかけで、

大きな飛躍を得て存続することもあるが、反面において大打撃を受けて、その人類と文明をも含めて滅亡することもありえる。

西ヨーロッパの科学という方法の発明は、ルネッサンス、宗教改革、並びに大航海による附随的発見や資源獲得などが主因ではない。

エジプト、メソポタミア、イスラム、ギリシャ、ローマなどの文明がもつ、宇宙・自然現象に対して強い関心をもつ質的土壌が根本底流として流れ続いてきた結果と考えられます。

西ヨーロッパの科学文明の真因は、ヨーロッパの歴史的な文明が長い緊張関係が続く間存在し、徐々に哲学的態度が熟成し、これが深く根ざしていた"観察・測定、そして数学的構造からの一般化による公理、法則など"として開花したことにあると言えます。もちろん外部からの緊張も多角的な刺激を及ぼしているが、ヨーロッパ文明の枠組を変えつつある文芸復興（ルネッサンス）、宗教改革、大洋制覇などの真っ只中にあって、内部胎動した、とみる方がより妥当性をもつであろう。

科学文明は真に西欧が発祥地なのです。
われわれが学んだ科学の知識は、
西欧のある領域でうまれた。すなわち、
科学の世界で業績を残した人びとの80％は、
次に示す六角形の中の地域で活躍したのです。

科学誕生の西欧の六角形地域を図1に示します。

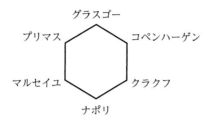

図1　科学誕生の六角形地域（数学的六角形の位置と合っていません）

　図1に示す六角形の地域以外の人も、この領域から概略150km（キロメートル）の範囲で活躍しているのです。西欧文明はきわめて強靭で、現在のグローバリゼーションの底流も全くこの文明の影響なのです。

第6節　ものづくり革新の科学の実質と使い方

　科学そのものは、ご存知のように "決して創造は行わない" のです。よく科学的創造などと誤解されがちですが、「創造は文芸がそうであるように、技術や技能の世界でのこと」なのです。宮健三は、「科学は技術に対して文芸における言語と同じ役割を果すだけである」と定義している（日本AEM学会誌、7. 1. 1999. p43）。そして「物と物の相互作用の関係が、"科学と工学" に関すること」になります。

科学を不動のものとした人びとと科学の思想樹立

　5節において述べた通り、科学を実質的に開いたのは16世紀のコペルニクス（ポーランド）であり、さらに今日の地位はガリレイ（イタリア）が築き、ケプラー（ドイツ）が法則を発見し不動のものとした。

　そうしてフランシス・ベーコンが17世紀初頭に、エリザベスⅠ世とジェームスⅠ世の2代の英国王に仕え、科学の思想形成と促進に大きな貢献を果たした〔R. L. Ellis & D. D. Heath, eds., Vol. 7, London（1861-1874）, The Letters and the Life of F. Bacon including All His Dictation Works, James Spedding eds., Vol. 7, London（1861-1874）〕。　この訳本は服部・多田『学問の進歩』、服部『ノヴム・オルガヌム』を含めて『ベーコン』（世界の大思想・6、河出書房）に収録されている。それが科学の精神基盤をなす"フィランスロピー（後述する）である"と説いた。それゆえにF. ベーコン（後に文部大臣も務めた）は、17世紀に確立した"近代科学の祖"といわれている。

　無論このことはルナ・ソサイエティを祖とする王立協会（学会のはしり）を中心に、西欧の中のボイル、フック、フランクリン、ディドロ、ダランベール、W. ハーシェルらとの有形・無形の寄与による。さらに渡辺正雄〔『科学の歩み・科学との出会い（上・下）』培風館（1992）下161、上16〕の一連の研究に細述されている。例えばガリレオは自然哲学（＝科学）について、次のように述べている（渡辺の引用）。

> われわれの眼前に開かれている『宇宙という書物』は、
> 数学の言葉で書かれているから、
> 数学を学んで数学の言葉で読むのでなければ、
> 正しく理解することはできない。

　当時書といえばThe Bibleのことですから、ラテン語で書かれた宗教的真理の書である『聖書』と並んで、数学で書かれた宇宙という書物はいわば『第二の聖書』になるわけです。西洋文明は、The Bibleに対して次のような態度をとっている。

　　　聖書：『神の言』、唯一絶対の神は人格的・合理的な
　　　神である。
　　　"その神が創造したゆえに、宇宙、自然は一貫した
　　　秩序が賦与されている。"

西欧が築いた『科学』の前提姿勢
　宇宙ないし自然を神の被造物と受けとめる「キリスト教的世界観」が近代科学誕生の前提となっている（渡辺正雄著、前記の引用）。

『科学を使う人間の立場』
　科学を使う人間の立場は、あの弾性の法則の発明者、ロ

バート・フックの『ミクログラフィア』（1665）の序文に
言い表されている。

　　　人間は、神の特別の被造物にもかかわらず、神の
　　命に背いて禁断の実を食べたがゆえに楽園から追放
　　された。人間の不幸と悲惨はここに由来（失楽園）
　　する。

そして、"人間の根源的願望"

　　　この悲嘆から解放されたい。それが人間の根源的
　　願望なのです。そしてこの願望がかなえられるとい
　　うのが、キリスト教の中心的メッセージになってい
　　る。楽園の回復（後楽園）は、イエス・キリストを
　　救主として受け入れることによって、かつそれによ
　　ってのみ成就するということになります。

西欧が発明した"科学の実質と使い方"

　　　楽園のある程度の回復は、第二の聖書である科学
　　（数学的構造物、または和声学的秩序をもつ宇宙な
　　いし自然）の力を、キリスト教的人間観にもとづく
　　人間愛（Christian Philanthropy）の動機のもとに、
　　広くHuman Welfareを増進する社会的要因として
　　働かすことによって成就する（前記渡辺正雄著引用）。

　フィランスロピーの推進は王家の支援、有力者の協力の

もとに、

“科学の真髄”

　　　この神の意志（第一の聖書）と神の力（第二の聖
書＝宇宙の書物＝科学）の結婚から、人間の助けと
なるものと、人類の困窮と悲惨を幾分か和らげるよ
うな一連の発見とが生み出されることが期待されて
発明された、と表されている。

　さらにF. ベーコンは『大革新』（The Works of Francis
Bacon, Vol. Ⅳ, pp20 〜 21、前記、渡辺正雄の名訳を引用、
前出著書、下巻p32）のなかで、以下のように著している。

　　　私は、すべての人びとに一般的な勧告をしたい。
すなわち、何が知識の力（＝科学の力＝神の力）の目
的であるかを考えていただきたい。そして知識を、心
を楽しませるためでもなく論争のためでもなく、利
得のためでもなく、名声のためでもなく、権力のた
めでもなく、その他この種の低いことのためではな
く、“人生の福利と便益のために”求めていただき
たい。

　　　そして、知識（＝科学）を、愛において完全なも
のとして、支配下においていただきたい。

第7節　ものづくりの礎（いしずえ）としての科学と日本人

　1945（昭和20）年の第二次世界大戦後、日本は農業国家から工業国家に変わり、次男、三男以下は工業立国の流れに乗った。会社、企業（城下町と呼ばれた）の利益追求が個人にもつながることを信じ、ひたすら走りに走った。

　ここに来て、特に1989（平成元）年後の金融バブル崩壊以来、皆個々に何ともいえない虚脱感におそわれているような気がしてならない。

　ここに至る道筋はどのような経路をたどって来たのだろうかと、起源を究めると、宇宙誕生に到達する。つまり物質文明はもちろんのこと、今日の生命・生体文明の源ということになる。我々日本人が第2WW（World War）後成し遂げた経済的繁栄は科学による恩恵に浴していることは論を俟つより明らかです。

　これまで栄華を極めた国々は独自の文明を築いてきた。

　古代ギリシャ：理性の文明
　古 代 イ ン ド：宗教の文明
　古 代 中 国：倫理の文明
　近代ヨーロッパ：知識の力（＝科学）の文明
　中 世 日 本：美の文明
　と言われている。

　日本は江戸から明治の開国以来、国の近代化のための有効な道具として、西欧の科学を、それ本来の文化的環境や

価値体系とは無関係に、単に道具として導入してしまった。

　16世紀以前のルネッサンス、宗教改革を経て、西ローマ文明、東ローマ文明、アラブ文明、ヒンズー文明、中国文明から覇者が現れずに、ユーラシア大陸の西、辺境西ヨーロッパが科学文明を発明し、他の文明を片っ端から征服するに至ったのです。

> すなわち
> "ギリシャ思想とキリスト教"の影響を受けた
> 西ヨーロッパが、科学文明という鬼っ子を
> 生み出すことに至ったのです。

西ヨーロッパ文明の特質
——汎用的性質をもつ——

　ギリシャ文明（哲学＋数学）とキリスト教（聖書）の結婚が生み出した科学文明（物質文明、又は知識の力文明ともいう）は、民族と結びついた文明とは違い、自然の法則に依拠するため、特定の国民や民族が所有するものではなく、国境がなく自由に使える性質をもつ（現在のグローバリゼーションそのものになっている）。

　しかし、生まれは西ヨーロッパという祖国をもつ。わが国はこれを取り入れることによって（脱亜入欧主義）未曾有の物質的繁栄を遂げたが、反面精神面は荒廃したという深い反省をもっている。明治初めに、"廃仏毀釈"など仏教

をしりぞけようとして、寺や仏像をこわした運動はあったが、神仏混淆の宗教に戻ってしまっている。現在に至る日本民族の混迷は、知識の力に対する日本創造の精神的哲学が築けないで、日本文明骨格の空洞化が今も続いていることなのです。

「科学の定義」と「技術の定義」について纏めておきます。

科学の定義：計量主義、経験主義、要素還元主義をツール（道具）として、宇宙の三要素である「物質」、「エネルギー」、「情報」の分析（Analysis）を行う。哲学の体系にある科学は「宇宙・自然の発見知」です。

技術の定義：機能、構造の知識（知識の力＋知恵）を統合化し、情報体として総合（Synthesis）を行う。芸術の世界体系にある。技術の本質は「創造という発明」です。

日本は明治維新以降、人間の脳のもつ、Why（＝なぜに存在する＝形而上学的問題、神が存在となる）の能力とHow（方法、過程＝作用・応答の限定的時間の問題）の能力をもって科学を学び、そして科学知を適用して技術によるものづくりを進めてきた。

また、人間についてつぎのような見方がとられている。宮健三の「形式と意味」（日本AEM学会誌、6巻、2,3,4号1998 ～ pp99-113, 24, 2-4-9, 327 ～ 336）を引用する。

　　　『この宇宙に存在する限り、あらゆる物が時間と空間に閉じ込められており、人間はそこから一歩も外

へ出ることはできない。』

　人間は空間と時間の2つの軸を根元的形式として空間軸に沿った推測をしているが、これに時間軸が入ると予測が困難となる。

　例えば目の前にあるペンの運動は既知の力のみなら解けるが、すべての力を考え、ペンや他の物体が増えると、どのように作用、反作用するか予測不可能となる。

　人間は、自身に内在する調和へ向う。
　すなわち時間に固着して成長する精神的成長パターンをもっている。

　この機能が科学、あるいは技術に機構化し、次々と学術の体系化を行っている。即ち、機能・構造情報の秩序を生んでいる。事物が混乱へ向かうのは自然の法則ですから、人間の意志（意図）が適切に作用し、計画が着実に実行されるように常に意志を働かせる必要がある。

> これが、
> 人間特有の精神の存在と、
> 精神による秩序形成となります。

　ここで、"科学"に対する"西欧人と日本人の比較"をし、検討しておきます。

　これまでの説明によって、『西洋の科学の世界は決して機械ではなく、一つの有機体なのです。科学の成長にはすべ

ての生体系の有機体と同じく、一定の気候、一定の大気が必要なのです』と述べられている。すなわち、［Ⅰ］キリスト教と科学、［Ⅱ］西欧の文化的伝統の二大特徴を十分に学び、科学研究における精神基盤を十分に、日本人のものにする態度が、最も大切な務めなのです。

　つぎに、西洋発明の科学を纏めます（表1）。

表1　西欧の科学の態度

神が人間に与えた二つの書 （近代科学の祖F.ベーコン、大革新から引用） （神と自然に対する謙虚な態度）	
聖　　書 〔第一の聖書〕 は 『神の意志を表す』	科　　学 は 『神の力を表す "人間の悲苦の軽減に使う"』
科学という知識の力は『知識の量の多少にかかわり無く、科学に有効な真の解毒剤（第一の聖書）なしに摂取すると、科学の中に、毒気あるいは悪質なものがあって、自惚れと思い上がりといった毒性の影響が現れる。 科学の『解毒剤』（第一の聖書）と共に用いるならば『知識の力（＝科学）』は極めて有効なものとなる』。そして『科学の解毒剤（Corrective Spice）とは愛（Charity：聖書の中枢）なのです（F.ベーコン記より引用と前出、渡辺正雄著引用）。 『第一の聖書』の使徒パウロの言葉：『知識の力（＝科学）は人を誇らしめ、愛は徳を建つ』（コリント前書8章第1節より引用）	

表2　科学に対する西欧と日本の文化的環境と価値の基盤比較

	西　　欧	日　　本
宇宙・自然観	宇宙自然観：神の被造物 人間：『神の形に造られ、命を吹き入れられた』特別な被造物 （西欧は神との契約）	宇宙自然観：一体融合物 人間：『一切衆生悉有仏性』の観念をもつ。森羅万象とのデモクラシーの中にあり、自然に支配され、従属する要素物として存在。
人間観	『被造物を支配下に置く』人間以外の被造物『一切人間の支配下にある』。即ち人間の手段や客観的対象として思うままに研究、利用する特別な特権がある。	『被造物との民主主義』人間以外の被造物『人間と対等』または、人間の方が従属し、自分を崇拝物とする態度をもつ。
	『西欧の精神的基盤』、西欧の精神基盤はギリシャ思想（哲学）とキリスト教（宗教）にある。	『日本の精神的基盤』 ――八百万の神々―― 日本の精神基盤は神道、仏教（宗教）禅の思想にある。日本には西欧に対応する自然哲学がない。
精神的基盤	神：キリストを通して、創造主（神）に『謙虚に賢くある』ことの聖約をもつ。神は、宇宙・自然、人間を超えた超越的な神。	神：宇宙・自然物を神格化、人間を神格化（神社）する。そして、日本人は人と契約（絆）する（武士道の影響）。

　表2は科学に対する西欧と日本の文化的環境と価値の基盤を比較している。こうしてみると、日本人の宇宙・自然との民主主義、並びに神仏に対する八百万神仏という文化的伝統が浮き彫りにされる。前者に対する生活態度は、「も

のを大事にする心」と「もてなしとか、使い易さを超えて、美の世界にまで昇華させる、ものづくりの美の文明」（過剰品質）が、端的な特質として現れてくる。西欧文明は、西欧という環境、土壌、風土、気候、大気との有機的かかわり合いから、途方もないほど長い時間と歴史的変遷を経つつ、西欧人の体質に自然と馴染み溶け込んで生まれた生命的態度といえるだろう。

　このような西欧の精神的基盤の上にある世界観や人間観をそのまま日本人に移植しても、免疫不全や拒否反応を起こし、日本文明の循環系に血栓が生じたり、ややもすると梗塞を生じ、社会的混乱につながることにもなろう。

第8節　ものづくりの中枢、科学と日本文明の無矛盾へ

　西欧文明の根本には、古里の土壌、環境、風土などが、無形の土台として暗黙的に存在している。しかも西欧人一人ひとり神との契約のもとに自律した個人主義をとり、価値を見出している。

　西欧人のこのような姿勢に対して、日本人は神仏、宇宙・自然に対し普（あまね）く崇拝の対象とする。そうして村や社会との組織的な繋がりを大事にして、人との契約、つまり約束を果たすことによって価値を見出している。日本人のこの生活的、あるいは社会的な態度は、社会、会社、家族の人との契約ゆえに個人としての意志の発露はなく、組織の意志が優先される。

　それゆえに、無数の組織体の意志に応える価値が組織と

の契約者の一人ひとりに求められる。ゆえに、今日のような超多忙な人びとが現れ、豊かな余裕ある創造的な時間がとり難い日本社会になっている。

　我われの現在の社会を見廻してみよう。すると総て、宇宙・自然世界と人との間の空間に、科学の知識が詰め込まれた人工物、すなわち道具や機器と自分が契約した価値を追い求めている、そのような空間に自分が在ることに気付くであろう。

　日本人社会の会社と生活の態度は、紛れもなく個人的価値より組織的価値を優先するところにあるとみなされる。この文明は農耕民族、あるいは武家社会が典型となっている。個人、一人ひとりに少なからず個人的価値、あるいは個人が生きていく夢の時間をもつ、いわば日本文明の中に、西欧文明の個人の生き甲斐を認め合い、尊重し合えるような世界をもてないものだろうか。

　一つの方法を提案させていただく。

　江戸から明治、大正、昭和の歴史的な過程を踏まえて、文明に文明からの混ざり合い、特に西洋文明との混ざり合いについての教育に失敗してしまったことであろうとみている。

　西欧文明の土台を教育によって日本文明の中にうまく融合できるように、ギリシャ思想とキリスト教の土台を秩序よく、自然に築くということになる。この方法は極めて長い時間を要し、しっかりした"科学"という教科書を小学

校からやさしく、丁寧に教え、導くことになる。もちろん、内容には哲学、宗教、数学、歴史、文化、芸術など西欧の文明体系を客観的に教え、学んでいくことになる。即ち、西欧文明を社会や生活として日本の文明を単純に融合させるということではなく、あくまでも科学という本質と実態を客観的に理解する、ということになります。すると当然、科学から得られた知識をどのように適用すればよいか、形而上的にも形而下においても、個人と個人の契約の上位に"宇宙・自然の書物"との契約という関門を通ることになり、「科学を人類愛と悲苦の軽減のために使う」という目的の"ものづくり"が生まれることになる。はたして、日本の政治にこの問題を理解し、解き明かす資質があるだろうか。日本人一人ひとりに求められている大きな問題なのです。西欧文明が総て善であり、丸呑みするような問題ではない。ただ言えることは、余りにも個々人、あるいは皆とそれぞれに集い、心身から寛ぎ、心をもてなす時間が西欧の暮しに対して、圧倒的に少ないことです。彼らにしても決して裕福ではありません。寧ろ、日本より経済的に貧しいといえます。

　チェコ（日本の1/5の面積）の首都プラハから南方のオーストリアとの国境にモラビアという丘陵豊かな地域がある。5月の3週間程の季節に、緑と黄色のじゅうたんで覆われ、一年で一番美しい瞬間が訪れる。風に揺れる麦畑は海原のようで、菜の花畑は陽光で黄色に輝く。アナウンサーの女性はただ茫然と立ち尽くし、涙を滲ませて言葉を失ってい

た。そしてしばらくして、“ここへ来て住みたい”と小さな声で、ひとこと呟いた。

　私も毎年夏休みの頃に国際会議が開かれるので、論文発表や会議のあとに開かれるポストコンファレンスによく参加して、北欧から南方の都市や地方山村などをよく訪問した。昭和50年8月10日頃から下旬頃まで、冷戦中ゆえソ連上空は飛べないので、アンカレッジ、アムステルダム経由で、スイスのチューリッヒへ、そして列車にてベルンを経て、ドイツのフロイデンシュタットの会議場に到着した。途中ナノテクノロジーの提案者（1974年）谷口紀男教授と一緒になった。ホテル宿泊の朝、朝靄の中に現れたシュバルツバルト（黒い森）のおりなす丘陵に、そして風景になじんだ色合いの村の家々が、見事な景観を映し出しているのです。ただ茫然として眺め、何の言葉もでませんでした。30歳とちょっとの頃でしたから、まだ若い感受性が残っており、今日に至ってもその時の感動が生々しく今もって鮮烈に、残像化されているのです。その朝の驚きにもう一つありました。今日でいうモーニングのバイキング料理です。パンの種類の多さと、山と積まれた量、そして副食のサラダ類が5m×10mもあるようなテーブルに盛り沢山あるのです。

　当時は、ビザは各大使館に出向いて、各人申請。受理し、1ドル350円の時代でしたので、私は自衛隊の基地へ行き、食用の御飯、副食などの缶詰をリュックサックに詰め込み、国際会議に出席していたのでした。そして会議のポストコ

ンファレンスで、シュトゥットガルトのベンツ社を、また
空路西ベルリンのベルリン工大(振動工学の父H. オピッツ
の後継スプール教授) も見学した。そして丁度午後6時に
ベルリンのヒルトンホテルにバスの迎えが来て、ベルリン
オペラ座で、切削工学の父といわれるE. マーチャントご
夫妻の隣りに並んで"アイーダ"を鑑賞したのであった。そ
の後お城に移動し、バルコニーでワインをいただき、ディ
ナーパーティーをゆっくりといただくのであった。まだ少
し明るい夜11時、別れを惜しみつつそれぞれホテルに向か
うのであった。何しろこのゆったりとした時間のすごし方
に、心の底まで洗われたのであった。

第2章
生命システムにおける科学としての
ものづくり

第1節　生物から学んだものづくり実例

　まず物質・生命システムからものづくりに辿り着く道を
述べていくことにします。そこで、実例に即した説明から
入ります。そして、絵を描きながら進める。

　はじめに身近にある自然や自分自身を眺めまわして下さ
い。すると図2に示すような対称形や球体などがよく目に
つきます。

対　称　形

植物	人間	球状体
		宇宙 ←→ 原子
①結晶	②ロボット	③原子力
①樹枝状結晶 　デンドライト	②センサ	③ベアリング
①機械の形状	②コンピュータ	③ゴルフ、サッカー、 　バレーの球技用品

図2　宇宙、自然からのひらめき

　人類は、生物から、そして人間自身、さらに宇宙や自然から知識を得て、図2に示すような実用例をつくりだしているのです。もちろん私達が使用している機械や道具、そして人間自身も、すべて使用できる「物」は、ゴムまりのように、バネとして元に戻る弾性体を、「もの」として使っているのです。図3は人びとがお膳の前に座ったり、椅子に腰掛けて食事をしたり、作業している姿からヒント（ひらめき）を得て、図3中央右に描いたフライス盤という機械をつくった例を示している。

機械の原形はどこにあるか？

それは <u>自　　然</u> です。

そして、人間が典型なのです。

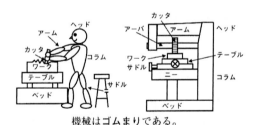

機械はゴムまりである。

つまり

弾性体なのです。

（塑性体や粘性体ではない）

温度	振動数	油圧：機械
20℃	1 kHz	
体温	心拍数	血圧：人間
36.5℃	68cpm	120～70mmHg

図3　自然と人体から学ぶものづくり

　そうして人間は、体温度36.5℃、心拍数68回/分（cycle-per-minute）、血圧70 〜 120mmHg（水銀圧力計）の標準的な生命システムであることを健康体として生き、暮している。このことにヒントを得て、機械や道具も温度約20℃、振動数約1000cps（＝Herz）、機械作動回路の流体圧力などもある一定値をとるように制御されている。

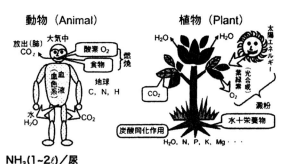

NH₃(1~2ℓ)／尿

NH₃が H₂O に溶解するとき発熱する。

$$CO_2+H_2O \longrightarrow 1/6(C_6H_{12}O_6)+O_2$$

$$NH_3+H_2O \longleftrightarrow NH_4OH$$

太陽エネルギー＋水＋栄養物 ◀▶ 水、酸素、澱粉($C_6H_{12}O_6$)

酸素＋植物─燃焼（エネルギー）

$$6O_2+C_6H_{12}O_6 \longrightarrow 6CO_2+6H_2O+686 \text{ kcal} \quad 呼吸$$

エネルギーの生成と物質の再構成

生　体

ATP(アデノシン３リン酸) と　ADP(アデノシユ２リン酸)の化学エネルギーの差

↓

エネルギーの貯蔵 と 輸送 を行う地球上の総ての生物

ATP：「エネルギーの通貨」◀▶ 運動、物質輸送、発光 ◀▶ 生体のあらゆる活動過程にエネルギーを供給する。

ATP ◀▶ ADP＋リン酸

↓

1 mol(約500 g) ─→ （ADP＋リン酸）分解熱7〜8 kcal 発熱

図4　太陽と地球と生植物のつながり

　図4は中学や高校で学習している光合成（＝炭酸同化作用）によって、人類はもとより、動物や植物が生命を授かっていることを模式的に示している。人類は地球に生息する植物から炭素C、窒素N、水素Hなどをとり、胃腸等消化器官でアンモニアNH_3と水H_2Oの化学反応によって熱エネルギーを得ている。

　また炭酸ガスCO_2と水などと太陽エネルギー、地球生植物などを体内で消化吸収し、澱粉をつくる。そして澱粉を果糖とブドウ糖に分解し、脳、心臓、肺呼吸などの運動エネルギー源としている。そうして残滓のガスCO_2と水H_2Oが排出される。生命を維持する主要素は、デンプンの燃焼エネルギーによって生成されるが、その主体はアデノシン3リン酸ATPとアデノシン2リン酸の化学エネルギーの差によって、人類はもとより地球上の総ての生物は生かされている。500グラムのATPで7〜8kcalの熱エネルギーが発生する。

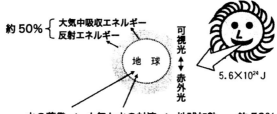

約50% { 大気中吸収エネルギー
　　　 反射エネルギー

地 球

可視光 ↕ 赤外光

5.6×10²⁴ J

水の蒸発 ＋ 大気と水の対流 ＋ 地球加熱 ＝ 約50%

1990年代の人間の年間消費エネルギー　2×10²⁰ J
（入射太陽エネルギーの1／数万）

原始時代（文明活動せず生きていくだけ）＝10¹⁹ J（現在の1／20）

文明活動のエネルギー源 { 動物生命エネルギー
　　　　　　　　　　　　と
　　　　　　　　　　　 理性活動エネルギー（脳）

水力発電＋原子力発電＋火力発電
＝
植物が過去30億年にわたって蓄積した太陽光エネルギー

食物連鎖

D 生物を食べた生物 A

D を食べた生物、
水、酸素と CO_2 排出

A を食べた
生物 B

(A,B,C)を食べた
生物 D

(A,B)を食べた
生物 C

(A,B,C,D は共に、CO_2、H_2O、O_2 を排出)

図5　食物連鎖過程に生存する人間

　人類をはじめ、地球上において生命を授かっている生物

は、すべて食物連鎖の循環過程のなかにある。図5に表したように、太陽光のエネルギー（5.6×10^{24}ジュール）の約50％が地上に到達し、水の蒸発＋大気と水の対流＋地球加熱のエネルギーになっている。2000年代の人類は、原始時代の約100〜200倍のエネルギーを使用し、生活している。このエネルギーは総て、太陽と地球からもたらされ、一日一日の生命を維持させていただいている。以下に、太陽と地球上の植物、並びに人間との関係をダイジェスト的に記述します。

植物：太陽光を利用し年間約 10^{11} ton の有機物を生産
　　　　　　　↓ エネルギーに換算
陸 60％＋海 40％ ←→ 5.6×10^{21} J（入射太陽光エネルギーの 0.1％）
　　（有機物の生産）　　　　　　　（現在の人間が消費する 28 年間分）
　　　　　植物は　　　　　　　　CO_2　　H_2O
　　太陽光（光合成色素）を受け、炭酸ガスと水から澱粉生産
　　　↓ 必要な反応エネルギー　114 kcal
　　　$CO_2 + H_2O \rightleftarrows 1／6\,(C_6H_{12}O_6) + O_2$
澱粉 $(C_6H_{12}O_6)_n$ ┤ 米：75〜80％、トウモロコシ：65％、
　　(Starch)　　　　　└ ジャガイモ：16〜20％、サトウキビ：13〜24％

植　　物
炭水化物 ← 脂　肪 → タンパク質
大 分 子 量
唾液、胃、腸で、分解
小腸で吸収（g/日）
循環器 ┤ 水＝1.8×10^4（g/日）、グリコース＝3.6×10^3（g/日）
に入る。└ 脂肪＝7×10^2（g/日）、アミノ酸＝6×10^2（g/日）
　　　　※光合成（機関，高組織性）
◎水を解離させ、25度で水素原子から電子を取り外すことができる。
◎組織化されていないこと：水 1000℃以上に熱しなければ、衝突で水分子が壊れてイオンと電子のプラズマになることはない。

　以上、人体は太陽、地球と宇宙・自然による極めて微妙、かつ巧妙な連鎖によってつくられ、生得的に附与された仕組みのなかで生かされていることがわかる。そうして人類にとってのみ、都合がよい宇宙や自然の環境、並びに生植物の体系が生まれ、進化し、存在しているのではないこともわかる。

　その例を以下の生命システムにみてみよう。

生 命 シ ス テ ム

※生物の大きさに限界はあるか！！

最　小

生物　＝　自己維持（代謝）　＋　子孫繁殖（遺伝）で最小（細菌）　＝　1 μm

最　大　重力による

$$\begin{bmatrix} シロナガスクジラ（体長約33m, 海中） \\ ゾウ（地上） \end{bmatrix}$$ 動物

$$\begin{bmatrix} セコイヤ（USA） \\ メタセコイヤ（中国） \end{bmatrix}$$ 樹高100m　植物（移動能力無し）

※心臓の神秘（弛緩と収縮）
　　収縮は、心臓の個々の細胞にイオン化された Ca カルシウムが流れ込み、増加されたことにより引き起こされる。細胞内で増加した Ca イオンは、その後ただちに細胞外に排出され、心臓は弛緩する。この繰り返しが血液を全身に送り出す。

※人体の機械的性質

	最大荷重 (N/m²)	最大変形 (%)	ヤング率 (N/m²)
骨（圧縮）	1.5×10^8	2	0.8×10^{10}
腱（引張）	0.8×10^8	8	1×10^9
動脈血管（横方向、引張）	2×10^6	100	2×10^6
筋（引張）	2×10^6	60	3×10^6
軟鋼	2×10^8	0.1	2×10^{11}
木材	1×10^8	1	1×10^{10}
プラスチック	0.5×10^8	5	1×10^9

　約700万年前に、人類の先祖になるような生物が誕生したと言われているが、生物学者が指摘しているように、人類に至る類人や生物の延々たる変遷と、自然淘汰が脈々と続き、生存し、そして現在がある、といえる。

　生命にも、また生命のシステムにも、生体と宇宙・自然の条件とシステムとの作用・反作用の適合性を利己的に折り合いをつける生存維持能力が附与されているのだろう。たとえば、生物の大きさに限りがあり、また人体の物質的な特性値に対しても好都合なシステムになるように、利己的自己が淘汰力として進化させているのであろう。

　さて、以上のような『存在源』は何によって生まれたのだろうか。生命の起源といわれる核酸という分子が、太陽と地球、更に宇宙との絶妙な関係から、突然に、あるいは偶然生まれたにしろ、なぜそれがおきたのか、ただただ畏怖の念にかられるのみで、いまだ未解のまま続いている。

　科学という一つの方法によれば、それは宇宙を存在させる４つの力ということになる。即ち、キリスト教の天地創造にあるとおり、宇宙の創造主という西洋文明の哲学と帰一にする思想をとることになる。

秩序創りの原点
宇宙を存在させる4つの力

Ⅰ　重　力（重力子：物質間に重力子が交換され発生する）
　　　　太陽系 100億 km(10^{13} m) 銀河系 10万光年（10^{21}m）

Ⅱ　電磁力　　　10^{-10} m

Ⅲ　強い力（核力：陽子と中性子とを原子核内にかたく結びつけている力）
　　　　10^{-15} m

Ⅳ　弱い力（素粒子の性質を変化させベータ崩壊を引き起こし、電子や
　　　　ニュートリノを生む力）　　　10^{-15} m

　　現在、宇宙の秩序創りの原点として、4つの力を統一できるのではなかろうかとしているが、いまだ未知のまま続いている。

　　　　　　　　強い力＝クオーク間にグルーオン素子が交換
　　陽　子　　　三つの**クオーク**粒子から構成された複合粒子
　　　　　　　　　　　（赤、青、緑のクオーク）
　　　　　　↓　　　　1/1000兆 mm＝10^{-15} m
　　　　　　　　クオーク素粒子＝**アップ**、**ダウン**、**ストレンジ**
　　　　　　　　　　　　　　　チャーム、**ボトム**、**トップ**
電子、ニュートリノ等6種：レプトン＋クオークの組み合わせ
　　　　　　　　　　←→　「世代」という対を作っている。
弱い力：グルーオンの代わりに「ウイークボゾン」という粒子が
　　　　　　　　　　　　　　　　交換される時発生する。
力を媒介する粒子：光子、グルーオン、ウイークボゾン
　　　　　　　　　重力子 ←→ ゲージボゾン

　　人類は、宇宙・自然から情報をとり続け、その情報でつくる秩序を日々の暮しにとり入れて、ほんのつかの間の安定化をはかる。しかしその刹那的な安定点もすぐに劣化し始

め、秩序が崩れていく。この繰り返しが、人間はもとより生植物の生命現象といえる。現在物理科学的にわかっている、情報という秩序の起源は、前述の重力、電磁気力、強い力、弱い力の４つの力が宇宙・自然を存在させ、秩序をつくっているとされている。しかしながら、この４つの力がどうして存在するのか、と考えてその先をたどっても現在のところ明確な答えは得られていない。

　人間は、科学という手法を通じて"なぜ"、"どのようにして"をずうっと考え続けてきたが、どこまで手繰りよせても答えは、またその答えはと続き、尽きることはない。なぜそうなるのかという問いかけにも、科学という手法は分析ゆえ、分析にはきりがないということと、人間の脳の能力はWhyとHowに対する応答ということに過剰突出し、当り前として気付いていないせいかもしれない。

　たとえば、次のような例を突き詰めて、ある程度のところまでは、ああ解ったかなとなるが、"なぜ"と"どのようにして"ということになると、尽きることがなくなる。密度の限界、宇宙の総質量、ダイヤモンドより硬い物質、絶対零度の存在などいずれも尽きる答えは未知といえる。

※密度の限界は！！

  （1）地球の平均密度 = 5g/cm³

  （2）白色矮星 = 10^6g/cm³（核燃料を使い果たした星）

  （3）中性子星 = 10 億トン /cm³ = 10^{15}g/cm³（超新星爆発，太陽より
   もっと重い星）表面 30 億度 K

  （4）ブラックホール 10^{93}g/cm³，1 兆度 K（重力が強く，光の速度で
   逃げても引きずり込まれる）

   超新星 1987A（観測） 400 億度 K

光 速（光子：質量を持たない）以上の速度で運動する粒子 = タキオン
   量子力学では空間を瞬時に伝わると解釈せざるを得ない相互作用が
   あることが，実験で確かめられている

※宇宙の総質量？

  1000 億個以上の銀河，太陽の質量の 1000 億倍

開宇宙
閉宇宙 ? $\begin{cases} \text{見える物質} \quad 10^{22}×\text{太陽の質量} \\ \text{見えない物質}\quad(10〜100)×10^{22}×\text{太陽の質量} \\ \text{Dark matter} \end{cases}$

※ダイヤモンドより硬い物質！！

理論的予想

  C_3N_4（天然で知られていない）
  原子状窒素ガスの中で, 黒鉛をレーザ光線によって蒸発させ, 反応
  させると薄膜状 C_3N_4 ができた.（ハーバード大学）
  硬さ測定は今の所できていない.

※絶対零度は存在するか！！

  （1）個々の粒子がニュートン力学に従う場合には起こりうる.

  （2）量子力学（不確定性原理）では，温度が下がると粒子は静止するので
   はなく「ゼロ点振動」を始める. この振動は絶対 0 度でも止められな
   いので温度が絶対 0 度まで下がることはない.

第2節　科学の世界におけるものづくりの起源、
そして現在へ

 人類が使用している情報の源を求め、どこまでも辿って
いくと、以下にまとめたようになり、ビッグバン宇宙から
掃きだされていることがわかる。

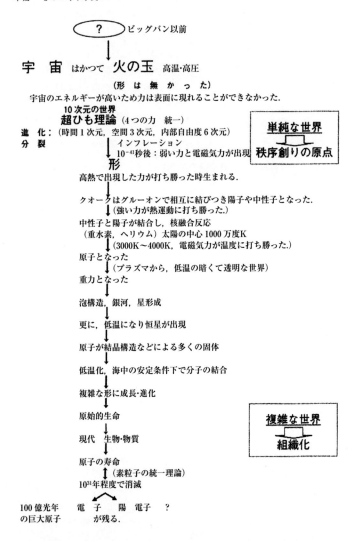

宇宙の起源に向かってどこまでも分析してゆくと、ビッグバン宇宙では10^{-5}〜10^{-4}秒で、クオークとグルーオン

のプラズマからハドロンが生まれる。ハドロンは、陽子や中性子などの強い相互作用をする素粒子の総称で、ビッグバン宇宙で、ハドロン内部にクオークやグルーオンが閉じ込められた、といわれている。そうしてハドロン内部の世界では、質量←転換→エネルギー（生成、消滅）によって頻繁に、かつ相互に形を変えているのです。以上の説明を図に描くと図6となります。

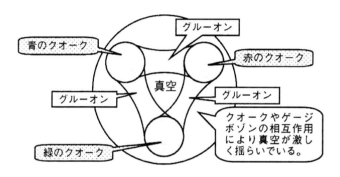

陽子の真空中に広がる世界

　ビッグバンが宇宙では、$10^{-5} \sim 10^{-4}$ 秒でクオークとグルーオンのプラズマからハドロンが生まれる。
　　ハドロン：陽子や中性子などの強い相互作用をする素粒子の総称。
　　ビッグバン宇宙で、ハドロン内部にクオークやグルーオンが閉じ込められた。

ハドロン内部の世界では、
　　　　　　質量 ←── 転換 ──→ エネルギー（生成、消滅）
　　　　　　　によって、頻繁に相互に形を変える。

〔例〕クオークと反クオーク
　　　　　↓（出会う）
　　　光子の対やニュートリノ・反ニュートリノの対が生じる。

図6　ビッグバン$10^{-5} \sim 10^{-4}$秒に生まれるハドロン
　　現在解っている究極の物質構成素粒子は17種類といわれている。

　まず物質を形成する素粒子、つまり物質の素粒子は6種類のクォーク；アップ（u）、チャーム（c）、トップ（t）、ダウン（d）、ストレンジ（s）、ボトム（b）、並びに6種類のレプトン；電子ニュートリノ（νe）、ミューニュートリノ（νμ）、タウニュートリノ（ντ）、電子（e）、ミューオン（μ）、タウ（τ）となる。

　つぎに力を伝える素粒子、つまりゲージ粒子は4種類；光子（γ）、グルーオン（g）、Z粒子（Z°）、W粒子となる。そうして2013（平成25）年に20世紀物理学の標準モデルのひとつの到達点になる最後の、即ち17番目のヒッグス粒子が発見された。物理の世界では一般に、ヒッグス粒子は質量の起源となる素粒子といわれている。

　説明はここまでとしてとめておきますが、以上の理論も、まだまだ克服すべき課題が残されている。しかしながら、ものづくりの起点に17種類の素粒子として、現在の認識をとることには問題はありません。

　我われ人類はどのような道を辿ってきたのか、ふりかえってみると、よりものづくりの内面も理解できるので、考察してみます。

第3節　物質・エネルギー・情報という 宇宙観とものづくり

　宇宙は物質・エネルギー・情報からなることが現在の宇宙観です。ダイジェスト的にまとめてみると、以下のように記述できます。

物質―エネルギー―情報（宇宙観）

『そもそも物はなぜ，存在するのか?』

無意味な物の中に意味を求める方法を取りあげる欲求

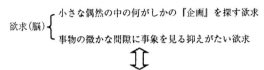

"独立した実在は我々の手には捕らえ難く，実在的"
なものは永久に隠されて認識できない．

Jean　Guittion（1901生れ）

以上のことを図に表すと図7のようになる。

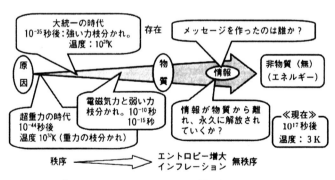

『宇宙とは神々をつくる機械である』

アンリ・ベルクソン

図7　宇宙は情報レベルの階層に組織されている

　第2章第2節の冒頭に、宇宙ビッグバンを起源とするエネルギー、物質及び情報の掃き出しを時系列的に表した。あえて言えば、何が存在させたのか想像できないが、火の玉とも言うべきか、いやたとえようもないような事象が生れ、ビッグバンを起したのであろう。

　図7に示したように、宇宙のエネルギーが高いために、力、物質、そして情報も "表" に現れることができなかった。しかし徐々に宇宙エネルギーの掃き出しによって、超重力時代の10^{-44}秒くらいになり、温度が10^{32}K（K＝ケルビン）程度になると、「重力」の枝分かれが起こった。そうして10^{-35}秒後、宇宙の温度10^{28}Kくらいになると「強い力」が枝分かれした。さらに10^{-15}秒、10^{-10}秒と経過し、より低温化が進むと、電磁気力と弱い力が生まれ、この4つが現在の力の根本となり、続いている。以上のようにして、宇宙エネルギーがもつ高熱で出現した「力」が、今度は低温化していく宇宙エネルギーに打ち勝つことになる。即ち「形」の出現、いわゆる素粒子という、「物質を形成する素粒子」と「力を伝える素粒子」が誕生し、陽子、中性子、そうして遂に原子という「周期律表」にみられる水素原子がまず生まれ、ヘリウム等々として、以下出現したとみられている。

　"力"、そして "物質" が宇宙のインフレーションと共に掃き出されてきた。つまり強い力、重力、電磁気力、弱い力といずれも「形」はない「力の世界」、もちろん太陽のような星も存在しなかったし、それこそ暗黒の、光が表に出る

ような世界ではなかった。

　こうしてしばらくして、宇宙の温度が3000 〜 4000Kに低温化してくると、電磁気力が温度に打ち勝って、物質の源となる原子が誕生することになった。つまり、電子が陽子と中性子からなる核の周囲に定位置を占めて、ぐるぐる廻るような運動をする条件に到達したのであった。電子が一定の軌道を運動するまでは、いわばバラバラに存在していた、いわゆるプラズマのような状態であったろうから、その頃の宇宙はようやく、低温の暗くて透明な世界であった。こうして混沌とした世界に、「物質」と「力」が何らかのきっかけか、あるいは偶然か、いわば突然変異のような不思議としかいえないようなことが起きて、泡構造、銀河、星が形成されたのであろう。そして更に低温化して太陽のような恒星が誕生したとみられる。

　そうして、太陽が生まれ、遂に太陽系の中に地球が存在することになる。これからあとは、原子がつくる結晶構造、分子構造、遂に原始的生命が生まれ、そうして現在に至る生物世界が地球上に誕生することとなった。

　以上の記述を手繰り寄せ、まとめると、「力」と「物」に宇宙の低温化が作用するたびに、素粒子、原子、星、生命、植物などの「要素」や「形」が次々と掃き出された。つまり、これらの『因子』は低温化と共に出現してくるのであった。そうして「因子」同士が、何らかの環境と条件を都合よく受けると、作用や反作用、あるいは反応や分裂などが起きて、新しい『もの』が生まれる。少々性急かもしれな

いが、即ち、この『ものを生む因子』、これが今日いわれている「情報」ということになる。

　もっと簡潔にいえば、「力」と「物質」をうまく組み合わせ、地球環境と条件に最適合するような、「因子の結合を低温化条件に合う設計」を宇宙がおこなっている、とみなされます。

　科学という一つの方法は、宇宙が「力」と「物」を使い、低温化という温度パラメータによって、温度環境と"力・物"の無自覚的というような、混沌とした揺らぎから生まれた"情報体⇔宇宙の創造主の設計現象"を分析することになります。

　我われは、宇宙の創造主が設計した、設計パラメータ（要素因子）を科学という分析の一つの手法、宇宙創造主の手法への遡（さかのぼ）りの方法を使い、要素因子を発見することを努めているのです。即ち、要素因子の発見知が、知識、つまり情報ということになります。

　人間は発見情報を、単体というか、単一体として独立しているように使用していますが、その一つの情報体は必然的にも偶然的にも、形式的情報だけではなく、暗黙的情報も無数に繋がりをもっているのです。前述したように、宇宙はかつて高温・高圧で、かつ形のない火の玉のようであった。そうしてビッグバンによって、絶えることなく宇宙が解き放った「力」と「物」、並びに低温化によって生まれてきた情報体は、内面と外面的にも途絶えることなくつながり続いている。人びとが情報体を知識単体であると無意識

に使いはじめた時から、宇宙・自然の連鎖体系から、全く遊離した現象体が生まれることになってしまった。以上のような経過をへて、宇宙創造主が誕生させた創造体以外に、設計現象体をつくった動物や植物は、人間以外に存在していない。

　宇宙史を遡って概観してみると、無限といえるほどの動物、植物などが生存し、また滅亡して、今日に至っている。しかしながら、一種類、一種類ずつ生物類をよくよく観察しても、人間のつくった創造体は、宇宙創造主の創造体と同じものを創造することはできていない。

　なぜそうなのかという問いに対する答えは、「宇宙・自然の織りなす情報の要素因子は、とどまることなく常に変化し続けている。そのうえ、その因子がどのような環境というか条件を得た時に、最も好都合な利己的自己設計をするのか、今のところ未知の世界であるから」といえよう。

　加えて、我われが認識できていない暗黒エネルギーと暗黒物質に対するビッグバン宇宙との作用・反作用の応答が無意識的にもあろう。

　人類が、一応認識と思っているビッグバン宇宙の誕生と私達が営んでいる"ものづくり"は必然や偶然という定義で定まることではない。宇宙誕生というか、人類はもちろんのこと生植物などいっさい存在しない宇宙の起点にまで遡って連綿と続いてきているのだから。

　即ち、人びとの「それはどこかで途切れているかも知れないし、そして再び何かの拍子で出現したものだ」という

考察も当然成り立つこともあるだろう。しかしながら、それらの現象も含めたことが、現在の宇宙存在に繋がっているとみなした方がより自然であろう、とみている。

　それゆえに、我われの「ものづくりを営むという所作の起源」は、ビッグバン宇宙の歴史そのものが詰め込まれているとみなせましょう。

　少々くどい話をします。現在の宇宙の大きさと宇宙エネルギーの保存を表すフリードマン方程式、即ち宇宙方程式から現宇宙の宇宙年齢 t を計算してみると、

　　t =（140±10）億年

となる。人類は、宇宙膨張―収縮―ビッグバンの、多分この循環において、極めて稀なかたちで"生命"を与えられている。

　何を言いたいのかといえば、それは人類は（140±10）億年の歴史が有形・無形に詰まっているといえる。人類、地球上の有機物・無機物の存在すべてのかかわり、あるいはつながり、ものづくりをしているとみなせる。

　それゆえに、「"ものづくり"は宇宙ビッグバンから掃き出される、エネルギー・物質・情報のほんの一部を科学という分析手法によって発見した知識と、その時々の知恵によってつくり出す」ということになります。

第4節　ものづくりの本質

　ものづくりは、"球"が本質であろう。生体の素因からそうみている。2つの典型的な例を図8に示している。

球　形

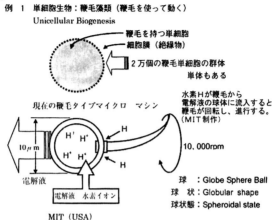

例えば，

例　1　単細胞生物：鞭毛藻類（鞭毛を使って動く）
Unicellular Biogenesis

━━ 鞭毛を持つ単細胞
━━ 細胞膜（絶縁物）
２万個の鞭毛単細胞の群体
単体もある

現在の鞭毛タイプマイクロ　マシン

水素Hが鞭毛から
電解液の球体に流入すると
鞭毛が回転し，進行する。
（MIT制作）

10μm

H⁺ H⁺ H⁺ H⁺ H

10,000rpm

電解液

電解液　水素イオン

MIT（USA）

球　　：Globe Sphere Ball
球　状：Globular shape
球状態：Spheroidal state

例　2　人体　Human body；約30種類の元素

重量比%

階層的
な
秩　序
｛水：64.3%，蛋白質：20.0
脂肪：1.4，含水炭素：1.0
各種の電解質：13.2

人体の重要な構造単位：細胞（約 3×10^{12} 個），3兆
$5 \sim 200 \mu m$

━━ 細胞膜：10nm
電解液＋小胞体＋糸粒体（ミトコンドリア）
血液：体重の7.7%

細　胞（Cellular）

図8　単細胞生物と人体の細胞

　さらに、巨視的（0.1mm以上を言う＝目視下限）な太陽系宇宙、並びにものとして究極といわれている微視的（0.1mm以下を言う）構造をもつ原子について、生体の階層構造を含めて要約すると、図9に示すようになっている。

生体の階層構造

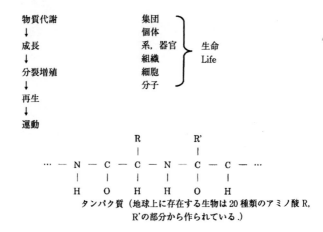

物質代謝　　　　　集団
↓　　　　　　　　個体
成長　　　　　　　系，器官　　　生命
↓　　　　　　　　組織　　　　　Life
分裂増殖　　　　　細胞
↓　　　　　　　　分子
再生
↓
運動

$$\cdots - N - C - C - N - C - C - \cdots$$

タンパク質（地球上に存在する生物は20種類のアミノ酸 R，R'の部分から作られている.）

分子中の原子：絶えず振動している．原子と原子は近づいたり、遠ざかったりする．
2原子間の距離は：$1 / 10^{10}$m＝1Å程度

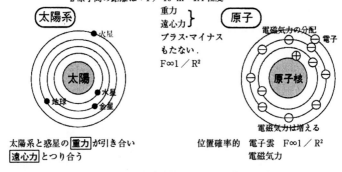

太陽系　　　　　　　　　　　重力　　　　　　原子
　　　　　　　　　　　　　　遠心力
　　　　　　　　　　　　　　プラス・マイナス
　　　　　　　　　　　　　　もたない．
　　　　　　　　　　　　　　$F \propto 1 / R^2$

太陽系と惑星の 重力 が引き合い　　　　位置確率的　電子雲　$F \propto 1 / R^2$
遠心力 とつり合う　　　　　　　　　　　　　　　　　電磁気力

図9　生体の階層構造における巨視・
微視的世界の形と機能の関係

"ものの本質的形状は球"

　"形"の根本が「球」にあることは、人間の本質的な見解として捉えられる。古代ギリシャのクセノファネス（BC565

〜 470）の考え、そうしてアリストテレスも端的に述べて
いるので引用してみよう。

「もし、神が何よりも優れているならば、唯一のはずであ
ると彼は言う。なぜなら、もし神が二者あるいはもっと多
ければ、そのいずれもが同等で、一者だけが最上級ではあ
りえない。実際、神聖というものは最優秀を意味し、わず
かでも劣るものはもはや神ではない……したがって、神は
唯一でしかありえない。いずれの側からも等しく、またい
ずこをも見、聞き、感じておられる。さもなくば、神には
優れた部分と劣った部分があることになってしまうが、こ
れはありえないことです。したがって、このようにあまね
く一様な神は球であろう……。神は万物に宿りながら唯一
永遠で、一様に均質、そして球のように丸い。また、神は
有限でも、無限でもなく、静止しているのでも運動してい
るのでもない。」

"ものとしての球体とは!!"

　球の体積V＝（4/3）π r^3,

　球の表面積A＝4r^2,　rは半径とする。

　たとえば、体積Vと表面積Aの関係は、

　V^2≦（1/36π）A^3,

　但し、等号は球体の時すなわち、

『**与えられた表面積をもつすべての立体のなかで、**

　球が最大体積をもつ』

本質（1）：どこも、等円周長さ

本質（2）：どこも、等直径長さ

　巨視・微視的に、どうして球体がもの、さらに宇宙の本質になるのだろうか。

　たとえば、銀河系の大きさ10^{21}m（10万光年）の成り立ちを調べると、重力と回転のつり合いによって作られたといわれている。

　真球はどこまでいっても真球です。

　ころがり軸受（ベアリング）の球（たま）は、みなつぶぞろいに作られている。同じ球体の寸法測定の最も簡単な方法は、V溝をもつ定寸の案内面の台を傾斜させておく。そうして、同じ高さからV溝に沿って球をころがす。V溝の終端は床面より高くしておき、そこから球は飛び出す。その球に対して床面に一定の硬さをもつ鋼板を置く。すると球は、鋼板にあたり反発して飛び上がる。そうしていつも同じ定位置に置いてあり、一定の口径をもつ籠（かご）の中に入ることになる。籠に当たったり、入らない球は、所定の球形に対して規格外となる。しかしながら球の直径は、無限の測定可能な形状をもつために、どこまで測定しても、数字がある限り、きりがないことになる。

第5節　ものづくりはどこへゆくのか

　我われは、20世紀から21世紀にかけて、一度ゆっくりと人類の未来について、これまでの過去を見直し、そうして未来を見据える大切な時間を頂戴している。

　16世紀に現代科学という、とことんどこまでも"分析するという方法"を人工的に行うという手法を人間は発明した。この方法には長所も弱点もあることはこれまで述べてきた。そうして現在は、無機物世界から有機物世界に、科学の対象の目をそのままの方法を適用して、歩み続けている。人類は忙しい、そして時間がないとかいって、一度ゆっくりと、あるいはのんびりとした豊かな余裕ある「時」や「環境」がほしいな、と人みなそう思っている。がしかし、そうなってみると、退屈になったり、時をもて余し、かえって不安になったりする。つくづく人間て厄介な動物だな、という経験もったかたも多いでしょう。

　我われは、有機物、対象としては生命システムへの道を歩み始めています。そうして、その対象のモデルが人間そのものに向いているのです。端的な例をあげれば、ロボット、脳、生物など、いわゆる生命システムが対象としてとられている。つまり、科学の方法をまだまだ使い続けている。そうしてエネルギー（力）、物質、さらに情報との関係に強い関心をもったまま、歩んでいる。

生命システム

『生命システムは、情報を利用して以下のことを行うための,
エネルギー変換機である』

1. 仕事をより効率的に行う
2. ある形態から別の形態へとエネルギーを変換する。
3. エネルギーを情報へと変換する。

宇宙システム

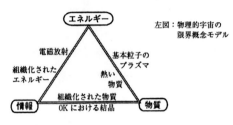

左図：物理的宇宙の
限界概念モデル

(ア) 純粋なエネルギー物質の混合状態で、情報が欠如している。これは基本粒子のプラズマを構成している。

(イ) 物質と純粋な情報の混合状態で、物質が欠如している。これは 0K における結晶に相当している。

(ウ) 情報とエネルギーの混合状態で、物質が欠如している。これは物質が存在しない空間を飛行する。光子のような質量ゼロの粒子からなっている。

熱：エネルギーと物質が相互作用したことによる産物である
構造＝**形**：情報が物質と相互作用したことによる産物である。

情報は宇宙の基本的特性の1つである。

即ち、考えられる今の世は　物質 ――→ エネルギー ――→ 情報から成ることが分かる。

宇宙の基底 は、情報因子

が神の操作によって、泡の如く淀みに溜まることなく千変万化することがわかる。
つまり、形はあって、形は無いものである。

図10　生命システム世界観のものづくり

　我われの宇宙観は図10に示すごとく、ビッグバン宇宙に起源を求め、それ以前の宇宙になる前宇宙については、想像の宇宙といえる。

　ビッグバンによってまず力（エネルギー）が掃き出され、

そして物質へとなる。しかしその現象は、同時に情報となる。

　人類は誕生してからしばらくは、力（エネルギー）と物質の宇宙観をもって、20世紀中頃まで暮しをたててきた。そうして情報という本質を理解するようになって現在に至っている。

　たとえば、2元宇宙観ということで、まず力（エネルギー）と物質の宇宙で、もし情報が無い宇宙となると、熱い物質ということになり、基本粒子はバラバラでランダムなプラズマのような宇宙といえる。同様にして、物質と情報の宇宙で、エネルギー（力）が無い宇宙となると、絶対零度で動きのない組織化されたままの物質世界となろう。またエネルギーと情報のみの宇宙で、物質が無い宇宙は、組織化されたエネルギーをもつ、たとえば電磁放射のような世界になる。

　以上のようにみてくると、たとえば“熱”はエネルギー（力）と物質が相互作用することによって生まれることになる。また“構造”は、物質と情報が相互作用することによって生まれる。そして“情報”は、ビッグバン宇宙観の基本特性の1つになる。そうすると、熱（＝力）と構造は、ということになる。即ち“形”が生まれることになるのです。一例として、生命の形についてまとめてみると、以下のようになる。

生　命　形

生命体の基本的物質の **形** は、**分子間力** (ごく弱い電磁気力) が決定している。

※分子間力：分子の中の電子の雲の微妙なかたよりによって生じる.
　　　　　　ごく弱い電磁気力のあらわれである.

形を生みだした力

(1) 擬態を作り出す力：昆虫
(2) 左右対称の美しい流線型を作り出す力：イルカ，マグロ…魚
　　　　　　　　　　　　　　・
　　　　　　　　　　　　　　・
　　　　　　　　　　　　　　・

図11-1　生命体の形を生む分子間力

　図11-1に表したように、生命体の形は分子間力の分子の中の電子雲のかたよりによって生じるのです。どうしてかたよりが生じるのか、核心的説明はまだ難問の中にあります。

多様な造形

擬　　態

(1) 昆虫：鳥の目を逃れることにより，生き延びること.
　　　　　子孫を残すチャンスを得る. 左右対称，流線型
(2) 魚　：すばやく，性格に泳いで餌を取ることにより，生き延びる.
　　　　　子孫を残すチャンスを得る.
　　　　　進化圧，淘汰を通じ進化をもたらす選択の力.

極めて弱く，ゆっくりであるが，宇宙物質間に働く力による.

図11-2　生命体の選択の力

　地球に生息する動物や植物を観察すると、よくもまあこ

んなに多くの種類、大きさや形態がそれぞれ違い、さらに同じ種族でも全く同じということはない。不思議としか、言いようがないのです。

　一般に生体の形や大きさ（寸法）を生み出す力を擬態という。また球形、流線形、左右対称形など基本的な共通形態がある。このメカニズム（機構＝機能＋構造：力＋物質＋情報からなる）がどのようにして発現したのか、根本的な答えは、いまだ未踏の世界です。しかしながら、このような多種多様な動物、植物が生まれたこと自体は、地球環境とその時々の地球条件の地球歴史というか、宇宙歴史の歩みそのものの自己淘汰的な適性創造力にあることは疑いのない事象といえます。

　図11−1、図11−2に示したような、宇宙物質間に働く、極めて弱くゆっくり働く力によるといわれている動物や生物は、常にその時々のその場環境とその場条件と、何とか折り合いをつけようとする選択力というか、浸透圧（しんとうあつ）のような進化圧が作用し、また反応しながら各々の細胞の自己利益力との間でバランスをとろうとするのではあるまいか。このバランシング力（調和力）が、淘汰可能な能力という領域に取り込めた時に、はじめて各細胞の生命力となり、進化という歩みになるのではあるまいかと推論できる。

第6節　宇宙の基底となる情報因子のものづくり

　ビッグバン宇宙は力を掃き出し、そして物質が生まれ、その時々に物理・化学的なものも含め諸々の情報が誕生す

る。この対対応の発現の仕組みは、創造主の操作ということになってしまう。多くの分野の学者が述べてきたように、情報は泡のごとく淀み滞まることなく千変万化するという。つまり、形はあって、形は無いものと理解している。

　古代エジプトやギリシャの時代から多くの学者が考察をめぐらしてきた。

　たとえば、形はなぜということで、

　　　　"天体は球のようであって、立方体やピラミッド形でないのか"

　　　あるいは、

　　　　"しゃぼん玉に浮かぶ油滴は、なぜ丸くて、三角形や多面体ではないのか"

　　　そうして、宇宙や自然を分析するという科学という方法を発明した科学者達は、宇宙、自然の常態は常に過渡的世界とみなしている。

　それゆえに、最終的な答えが本当に必要だと言っていない。また、ありそうでもないとしている。完全な答えというか、真理は、創造主にあって、科学者は、ある与えられた状況下で自然が創造する"ものづくりの形を予言できるような原理を求める"役目をはたすことにしている。それゆえに、「ものづくりは常に過渡的な仕事」ということになる。

　創造主がつくりだす形（ものづくり＝自然現象）は極めて、複雑な問題を解くことになる。この現象方程式というか法則を矛盾なく、人間社会にとり出すことは不可能に近いといえる。そこで控え目な態度で、かつほぼ現象を理解できるような『形の、現象的な法則や、原理』として導き表すことにしている。

　それゆえに、科学という分析による情報因子の獲得は常に完全性に欠ける宿命をもっている。即ち人類は常に控え目なものづくりを控え目な態度で行うことが、その場環境に最適なものづくりを導くことになるとしている。

　かつて、ダンテ・アリギエリ（1300年頃）は、
「"形"は壮大な宇宙のしくみ」
　といった。
「贅沢（ぜいたく）なものみな、創造主と自然は喜ばず、創造主と自然が好まぬものは、みな邪悪なり」と述べている。

　さらに、モーペルティは『最小作用の原理』を導き、「自然は常に、可能な限り無駄のないように振舞う」と、たとえば「一様な媒質中では光は最短距離を走る」と述べている。このようにして、宇宙や自然現象のあることを一般原理にしようということで科学を築きあげてきている。この原理は、つぎのように導かれる。

> 自然界に起こる変化は、変化に必要な作用の総量が、できるだけ小さくなるように起こる。

> 宇宙・自然に起こる現象は、
> "奇跡であって、奇跡でない"

というように、ダンテ・アリギエリやモーペルティは実感し、考察している。

更にレオンハルト・オイラー（Leonhard Euler, 1704-1783）は次のように説いている。

> 全宇宙の"形"というものは、最も完全であり、実際、最高の賢人たる創造主が設計されたものであるから、最大あるいは最小の規則が光り輝かない出来事など、この世に起こるはずがない。

オイラーはスイスのバーゼルに生まれ、流体力学の数学的功績などベルヌーイ家に学び育てられた。多くの数学的業績に加え、流体、天体、光学、弾性理論など多大なる人類貢献がある。

人類はものづくりに先立って、設計ということを頭のなかで考える。

設計は、

> "宇宙・自然の現象を分析して、得た情報（知識)"
> と設計者の知恵を総合情報として文字や数字によって図に描き、一般化することをいう。

アイザック・ニュートン（Issac Newton, 1642-1727)の設計原理

> "自然は無理なことはしない、もっと少しで済むのに、多すぎるのは無駄である。"
> 自然は、単純を好み、余計な原因でいたずらに飾り立てるのを好まないからだ。

　人類は、今を大切に努めながら多くのことを経験し、いずれは、人類の最善な道を歩むようになっていく。

　ルイス・パスツール（Louis Pasteur, 1822-1895）は、科学者について次のようにとらえている。

> 『科学の道を少し進むと創造主（神）から離れるが、更に極めればこれに回帰する』

　といえども、人は悩み、迷いもする。古来深遠な問題といわれているが、所詮（結局）つぎのようになる。

> なぜ『何か』が存在するのか
> なぜ『存在』という物があるのか
> "形はない、泡のようなもの"
> 性質も全くもたない。
>
> 日本では、
> 色即是空
> 空即是色
> といっている。
> 仏教の菩薩さまの言にたどりつく。

　しかしながら、生物はもちろん人間において、上記のようなことで治まりが付くようではあるが、その内また意味のあることか、無意味なことかわからない中に意味を求める方法をとりあげる欲求が湧いてくる。この欲求は生物としての淘汰力といえよう。欲求は脳や細胞の生得的な能力といえる。

　以上のような哲学、宗教、科学などの基底のもとに、第6節の本論に入ってゆきます。ものづくりは常に次のような過程をたどっております。

形をつくる→**組織化**(system)→情報の{**構造化**と**機能化**}

　宇宙の創造過程をたどり、形（有形＋無形）をつくる対

象を洞察すると、人類は組織性をもつことによって、心身の安定や安心を得るという細胞の核心的欲求が見えてくる。組織、つまりシステム化の中味をみると、次のようなことを生理的に行動することによって、安定、安心への落ち着く道を歩んでいることがみえてくる。そうして、組織対象に対して、以下に記述するようなことを行っている。

System の対象

1.　無秩序（Disorder）
　　　　情報容量をもたらすため。
2.　秩序（Order）
　　　　複製における忠実度をもたらすため。
3.　成長（Growth）
　　　　情報のコピーを作るため。
4.　分裂（Cleavage）
　　　　複製仮定を完了するため。

情報は情報性の関数です。
（システムは無秩序化すれば、システムの情報は失われてしまう。）

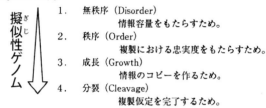

無秩序は"突然変異"が生じるよう
システムの構造を変化させる機構を提供する。
↓
進化（Evolution）──→ **分化**（欧米の解釈）

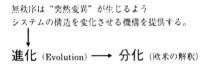

『**情報**は、物理学の法則を支配しているすべての**数式**に内在（Implicit）する**要素**であります。』

　我われが形をつくることは、情報を転写（Copy）するために、宇宙という数学的構造をもつ書物から数式に内在する要素、つまり機能と構造をシステム（組織）化することにある（RNA転写によるDNA結合、細胞）。

　一般的な形のシステムは、前記の1→2→3→4の内在情報を含めた秩序形成のための設計となります。つぎに、もう少し具体的に述べてゆきます。

　混沌（Chaos）としてたとえようもない状態、あえていえば無秩序（Disorder）ということになろう。しかしながら人類の歴史を振り返り、また動物や植物を見ていると、総ての現象はカオス、またそれ以前の無（または空）の状態から秩序（Order）が生まれている。宇宙や生命のシステムには、そういう経過の過程をとるような織り込みの情報操作があるのかもしれない。というのは、人類をはじめ、生物の生老病死をみれば、ただ一つの現象かもしれないが、宇宙や生命には混沌と秩序というような"現象の対称性"が存在するとみなせる。しかしいっぽうでは、偶然というか何かのきっかけで人間が存在するのに適した宇宙が誕生した事象は、つぎのように理解されている。物理学者は、量子力学と相対性理論を駆使して、物質に対応する反物質が存在しているという。しかし何らかの働きによって、宇宙ビッグバンの初めに、わずかな非対称が発現した。つまりその非対称そのものによって生まれたのが、現存の宇宙なのだといっている。または、自発性と非自発性の対称の破れ、とでも言えよう。

　人類は常に秩序をつくり、そしてまたつくった時点から劣化する。そこで再び新秩序をつくり、抜け落ちた秩序を

再構築してゆくという道をずっと繰り返し続け、歩んでいる。この繰り返しが成長（Growth：進化ともいう）であり、生殖細胞がいとなむ分割（Cleavage）という新秩序の誕生ということになる。即ち組織体は情報の関数ということになる。一つひとつの情報因子が繋ぎ合わされて一つの組織体となる。そうして、この組織化された一つのシステムが動き出すことになる。このような手続きが、宇宙や自然に内在し、次々と創造体として発現してくる。人類が行っているものづくりの原形はこのいとなみに端を発している。

　情報が組織性の関数となることをもう少し、具体的に説明するために、実例をあげながら話を進めてゆきます。まず道具や機械をつくる時に必ず力を使います。そして、力の伝達経路がスムーズ（円滑）に伝わるように、力の回路を効果的に組織化します。

　ものづくりをする時、力を伝えないと形をつくることは不可能です。ニュートンがりんごが木から落ちるのをみて、法則を導いたことは、有名な話です。その例、力F（Force）は、加速度（りんごは地球の重力という、ほぼ一定の加速度 a に引っぱられ、りんごの質量mが地球の重心に向かって動いたわけです。ですから、加速度 a が大きくなるほど、力Fもその大きさに伴って大きくなります。質量は大きさを変えませんから、いつも同じ値をもちますので、力と加速度の比例定数ということになるわけです。もちろん「もの」それぞれのmの値は違います。そこで大きさ、方向および向きをかえるような知識（形式知）は情報

因子、あるいは情報形態として扱うことができるわけです。

　以下に力、さらにその仕事について、具体的に表してみます。

　さて、ここまで話を進めてまいりますと、形は物質であることがわかり、さらに物質はエネルギーの塊りそのものであることになります。20世紀の中頃までは、物質─エネルギーの２元論宇宙として進んできましたが、シュレジンガー（Schrödinger）やボルツマン（Boltzmann）らの貢献によって情報物理学が生まれてきました。

〔例　1〕距離 d, 時間 t, 方向：情報形態とする。
よって，速度，加速度も情報形態

　　　①力は、質量と情報をかけ合わせたもの：力＝質量 × 情報
　　　　　　$F = m a$
　　　②仕事は、力と情報をかけ合わせたもの：仕事＝質量 × 情報
　　　　　　$W = F \times d$

　　　　　　宇宙、物質 $\xrightarrow{\text{不可逆的}}$ エントロピーの増大
　　　　　　　　　　　　　　　　　（E＝Q／T）、但し Q 熱量、T 温度
　　　　　　　　　　　　　　　　　　　　　↓
　　　Disorder　　　　＝　　　**組織性の喪失**
　　　Disorganization　　　　つまり
　　　非組織性　　　　　　　**構造情報の喪失**

※鴨　長明（方丈記）
『淀みに浮かぶ泡沫は、かつ消え、かつ結びて　しかも、もとの水にはあらず』

　　　③光合成（光を吸収するクロロフィル分子による）
　　　　生物の昨日は、宇宙の組織性を増大させる能力と関係していると見られる。

形 ⟷ 物質　である。

形（物質）⟷ エネルギー　である。20世紀認知

<u>現在３</u>．エネルギーは**情報**と相互転換する。

20世紀 ⟶ 21世紀

　もう少し具体化してゆきますと、以下の図12に描いたようなことが言えます。

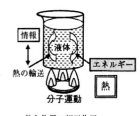

熱と物質の相互作用

情報因子の例

① 光のパターン（体から目へ）
② 膜の分極パルス（目から脳へ）
③ 化学物質のパルス（神経細胞間で）
④ 圧縮された空気分子のパルス，即ち音波
　（これは読者の喉から発せられる）
⑤ 液体や固体内における力学的変形による
　パルス（耳や電話の送話器の内部において）
⑥ 電話線内の電子パルス
⑦ 光ファイバ内の光パルス
⑧ ラジオ波のパルス
⑨ 磁気パルス（電話の受話器内部やラジオの
　スピーカ内部において）

上図の説明

熱の増大 → (液体・分子粒子) ランダム → (気体) 蒸発（システムの組織性）
Disorganization

熱をシステムから減少 → (気体) 凝縮 → (液体) 凍結（組織性の増大）

（情報量の増大）

図12　宇宙・自然からの情報の発現

　図12に示すように、いま液体に熱エネルギーを与え、徐々に沸騰点に到達すると分子となり、バラバラに分かれ、水という液体を構成するシステムの組織性（秩序）を

低下させます。また反対にこの気体の温度、つまり熱エネルギーを徐々に減少させてゆきますと、ポトポトと雫が露結し、ついには水になります。さらにこの液体の熱エネルギーを取り除きつつ、熱（温度）エネルギーを低下させてゆくと、水の動きがとまり、氷、つまり凍結が始まります。つまり温度をさげるにつれて、水分子の組織性（秩序）が増大してゆくことになる。

　このように科学によって得た分析知が一つひとつの情報の因子となるわけですが、その因子自身も科学という分析手法によって、またその構成因子が新しい情報（知識）にまた生まれるわけです。

　図12右側に①から⑨の情報の因子が記されています。我われは、このような因子を組み合わせて、設計仕様を記し、図を描き、民製品を次々と作っているのです。そうしてしばらくすると新しい情報因子が発見され、また設計が行われ、新製品が生まれることになる。

　人類が営々と歩んでいるものづくりという道は、宇宙・自然界との対話や呼びかけに応じて、様々な新知識が得られる。ただしその新知識は宇宙・自然界の混沌というか、アメーバというか、多様なシステムや繋がりをもっていて、想像を絶するような組織的空間のなかで無数の現象を生み続けている。それゆえに、想像を絶する空間の現象は、設計図にすべてに網羅し、織り込ことは不可能なのです。

　多分その未知組織、つまり創造主の未踏設計知の空間設

計知の分だけ、宇宙・自然とのバランスを欠くことになろう。人間がものづくりを科学的に行うにしろ、宇宙の基底の情報因子を漏れなく組み込むことは、創造主にしか行えないといえる。科学は、宇宙の排出情報への遡りによる分析能力内の限定情報なのですから。

　それゆえに、人間が行うものづくりは、宇宙・自然現象の変化に対して、常に誠実に目を凝らし続け、新しい情報知を取り続けることにある。そうしてその時代、あるいはその時に応じた宇宙・自然状態に可能な限り調和（バランシング）のとれるものづくりを、控えめな態度で行うことが求められることになろう。

　以上のようなものづくりの基本的姿勢は、エジプトやギリシャ文明の哲学の根本原理でもあり、20世紀の中頃のSchrödinger（シュレジンガー）やBoltzmann（ボルツマン）、およびこれらをまとめたT. Stonierらの思考もこれに続く理論といえる。

　少々くどくなりますが、この章を閉じるに当たり、記述させていただきます。

第7節　ものづくりという組織性の本質

　シュレジンガー〔E. Schrödinger：What is Life?, Cambridge University Press(1944)83-117〕やボルツマン〔S. G. Brush：Boltzmann Lectures on Gas：Theory Part and Part, University of California Press, Berkeley, California (1976)51-97〕らは、生物は「**負のエントロピーを摂取している**」のだと示唆した。シュレジンガーはエントロピー

は反組織の関数、あるいは無秩序の関数であることをボルツマン（前記文献）の探究から開始して、エントロピーの統計的記述によるBoltzmann方程式を導いた。くどいかも知れませんが、式を紹介します。エントロピー（Entropy）＝KlogDと表せます。但しKはBoltzmannの定数、Dは物体の無秩序の定量的尺度となる。この式は簡潔な式ですが、大変興味あることが導けます。ボルツマンの注目は、Dが無秩序の尺度なら、その逆数1/Dは秩序（組織）の測定尺度と考えたわけです。この考えは、宇宙膨張そのものであることになります。図に描くと図13のように表せます。

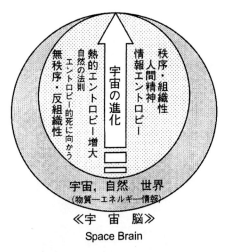

図13　宇宙のインフレーション（進化）による熱的
エントロピーと情報エントロピーの増大

　即ち、第7節の冒頭に記した"負のエントロピー"とは、

－（Entropy）＝Klog（1/D）、とシュレジンガーは再定
式している。

別の表現をするなら、「**エントロピーに負の符号をつけ
たら、それは秩序（＝組織性、あるいは人間精神）の測定
尺度になる**」というわけです。このようにしてシュレジン
ガーは『生物とは何か？』の著書のなかで、どのようにして
生物が低エントロピー・レベルを維持しているのか説明し
ている。すなわち生物は、「**環境（宇宙・自然）から秩序
性（組織性、Orderliness）を吸収し、低エントロピー・
レベルを実現している**」と述べている。

宇宙・自然に対する以上のような理解をさらに深め、T.
ストーニャは現宇宙、いわゆる物質─エネルギー─情報の
世界観に対応して、エネルギーと情報は相互転換するとし
ている。つまり非平衡状態では、ポテンシャルエネルギー
は運動情報と等価になることを導いた。

　1 エントロピーは、
　1（Joule/Kelvin，エントロピー）＝1023bits（バイト）

1023バイトのデジタル量になることを算出し、定め
た〔Tom Stonier：Information and Internal Structure
of Universe, A Exploration into Information Physics,
Springer-Verlag, London（対訳），（1990）54-57〕。

図13に描いたように、宇宙エネルギーが究極の状態、即
ち"**エントロピー的な死**"に向けて散逸（無秩序、反組織

性）していくようにみえる一方、そこにはエネルギーを情報へ転換する過程も存在している。

　この事実は重大なる発見ということになる。

　以下にまとめると、宇宙・自然のものづくりの根幹は次のごとくなろう（図13）。

　　　　第1の力は、エントロピーを増大させる。
　　　　第2の力は、情報を増大させている。

　第2の過程では、新たな現象、"知性"が生み出され、この知性が情報ということにとって代わろうとしている、ということになる。

　人類は現在、この情報を適切に利用し、ものづくりを進めている。

※この節を閉じる前に、エントロピー（Entropy）について付言します。

　エントロピーという名称はクラジウス（Rudolf Clausius, 1822-1888）によるもの（1865発表）で、ギリシャ語のtrepē（変化）に由来する変化容量を意味している（岩波理化学辞典、p167）。熱や熱力学を学ぶと、次のような式 dS（エントロピーの増加）＝dθ（熱量）／T（絶対温度）が出てくる。

　詳細は省略しますが、図13に示した熱的エントロピー増大と情報エントロピーは相関関係にあります。宇宙の温度

Tは次第に低下し、絶対零度に近づいていきますから、エントロピーは途方もなく増大し続けます。同時にそれに伴って情報（組織）が次々と掃き出されることになる。人類はこの情報（組織）を科学という分析手段と、いろいろな機械、器具などを用いて、観察や測定をして情報（組織、システム、情報因子など）を発見している。このような手続きによって発見した情報の本性とその適応についてまとめておきます。

『情報の本性と適応』
——ものづくりへの応用——

〔そのⅠ〕

組織された構造はすべて情報を含む。

加えて、組織された構造は、何らかの形態情報を含むことなく存在しない。

〔そのⅡ〕

1個のシステムに情報を付加すると、そのシステムはより組織化（Organization）される。あるいは、再組織化される。

〔そのⅢ〕

組織化されたシステムは、情報を放出したり、伝達する能力をもっている。

　人類が"ものづくりをする根幹"は、以上のそのⅠ、その Ⅱ、そのⅢのいわゆる"Howの手法"によることが理解でき ます。この過程は**無秩序→秩序→成長→分裂**という"ものの 一生"でもあります。当然この過程の無秩序（Disorder） には情報環境の突然変異も含まれている。

　以下に実例をあげて情報を組織化し、一つのシステムと して秩序づくりを行った"ものづくり製品"を示します。

〔例1〕**ダイヤモンド**
　　　　　隕石に混在するダイヤモンドがヒントとなった。
　　　　　5万気圧以上、1200℃以上、最近は常圧でも可能。

〔例2〕**生・植物は燃焼すると炭素になる（炭素の活用品）。**
　　　　　高熱伝導率、潤滑、化学的に安定……
　　　　　①鉛筆の芯、墨　②原子炉の燃焼制御棒　③固体 潤滑剤エンジン、鋳物（ベッド）　④工具（高速度鋼、 超硬、サーメット、砥粒、ダイヤモンド）　⑤鋼 ⑥避雷　⑦浄水、活性炭

〔例3〕**ロボットの手：蛇の木登り**
　　　　　ロボットの握力が、指関節内で適切に配分し、破 損しないよう加減するメカニズムを適用している。

〔例4〕麒麟：高血圧抑制剤

　　　獣のなかで一番背が高く6m近い、頭を上下させて木の葉や芽を食べ、水を飲むが、人間のように立ち眩(くら)みを起こさない血管収縮拡大分泌作用をもっている。

〔例5〕蚤の跳躍：高跳びの選手

　　　蚤の膝関節の蛋白質の応用

〔例6〕イルカ・昆虫（超音波加工）：マイクロマシンによる衝撃き裂破壊加工

　　　可聴音：16Hz 〜 20,000Hz，変位x＝asinωt,

　　　加速度 a ＝ －a$\omega^2$2sinωt，仮にa＝50μm,

　　　f＝20kHzのとき、

　　　速度V_{max}＝376.8m/min，　a_{max}＝788768

　　　m/s^2＝80486G

　　　音による恐怖：歯牙治療（デンタル）

　　　胆石治療ソナー（潜水艦モニター）

〔例7〕超音速・出入口の流れ

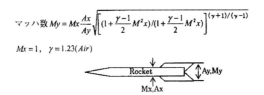

$$\text{マッハ数 } My = Mx\frac{Ax}{Ay}\sqrt{\left[(1+\frac{\gamma-1}{2}M^2x)/(1+\frac{\gamma-1}{2}M^2x)\right]^{(\gamma+1)/(\gamma-1)}}$$

$Mx=1$, $\gamma=1.23(Air)$

　　　急拡大による超音速の実現；エリアルールの原理
　　　座標x, y方向、Ax, Ayは断面積

〔例8〕飛翔体（Vehicle）は流線形：魚、鳥
　　　エリアルール（断面積法）Area Rule
　　　※マリリンモンローやコカコーラボトリングスタ
　　　イル

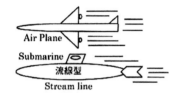

F:Fighter Plane（戦闘機）
T:Training Plane（練習機）
B:Bomber Plane（爆撃機）
自動車、新幹線、潜水艦

〔例9〕雷（放電）：溶接（①コロナ、②火花、③アーク：
　　　放電の応用）
　　　①コロナ放電：静電塗装、静電冷却、イオン化（豊
　　　作）による発芽率（大）
　　　②火花放電：放電加工、ワイヤカット放電加工
　　　③アーク放電：連続放電による溶融加工

〔例10〕雨滴石を穿つ：水撃加工（〜 680MPa）：運動エ
　　　ネルギーの適用
　　　68kgf/cm^{2}位まで（M>2）

〔例11〕　物質の安定：①酸化、②炭化、③窒化（空気の約
　　　　4/5：最終反応生成物質の利用）

　　　　　①酸化物：フェライト（γFe_2O_3）、セラミック
　　　　　　ス：Al_2O_3（アルマイト）、SiO_2（ガラス、砥
　　　　　　粒）（コロイダル）、ZrO_2（ジルコニア）
　　　　　②ダイヤモンド（C）、Fe_3C（合成）、SiC（セラ
　　　　　　ミック）、WC、VC、TiC
　　　　　③窒化物：Si_3N_4（セラミック）、CBN、FeN（窒
　　　　　　化層）

　　実例1〜11からお分かりいただけるように、人類は有史
以来宇宙や自然のいろいろな現象からすべてを学び、"こ
のように、あるいは、あのようにできるといいな"という
願望をもっていた。たとえば、〔例1〕の人工ダイヤモンド
は、隕石の中にダイヤモンドが混在していることを発見し、
長い間の研究を重ねて、成功した。
　　現在では、常温でもダイヤモンドができるが、それでも
天然ダイヤモンドの中には驚くほど優れた性質をもつダイ
ヤモンドがある。以下〔例2〕は生植物が燃焼すると、よ
り安定化し、変化し難くなる炭素の適応例、〔例3〕へびが
滑らず木登りしたり、ものに巻きつく例を分析し、ロボッ
トがガラスなどのコップを把持する時に、潰れたり、割れ、
破損しないように応用している。同様にキリンが頭を上げ
下げしても、眩暈を起したりして倒れたりしないことを研
究して、高血圧抑制剤の開発に成功した。以下説明は省略

しますが、いずれの例も宇宙・自然から学びとった例といえます。

　しかしながら、宇宙や自然界から感得できないこともままあります。人間がああでもない、こうでもないと工夫を重ね、努力を続けている最中にたまたま、「あっ‼　できた」というような「勘」というか、あるいは「ひらめき」というようなことで新しい発見に出会うことがある。〔例8〕の超音速発生のエリア・ルール（断面積比法、Area Rule）がその例といえる。流体の噴出速度を上昇させるには、ホースの出口をどんどん小口にし、絞っていくでしょう。

　しかしながらいくら出口を絞っても、出口速度は音速を超えることはできない。そこで理屈を度外視して、出口の開口度を広角にたまたま広げてみた。すると一旦出口で絞って、そこから今度は急拡大するほど、音速を超えてゆくことが認められたのです。

　そして絞った出口の断面積を急拡大したラッパのようになった出口の断面積の比率によって音速以上〔流速／音速＝マッハ（Ernst Mach：オーストリア、1838-1916）数という〕の流速の増加が得られるということが明らかとなった。この発見を適用したのが、ロケットであり、超音速の飛行機ということになる。

　〔例1～11〕は、工業的なものづくりを挙げているが、我われの生命治癒である薬剤は、ほとんど薬草や薬物、並びに動物の恩恵を受け、命が守られている。薬草にしても、

当初から有効かどうか判別ができたわけではなく、薬植物を動物が好んで食べたり、あるいは体調が変わった時に食べたりすることに学び、それを人間がまねをして、効果の有無を確かめつつ、徐々に薬草ということを学び知ることになった、といわれている。

　このようにして、人類は宇宙・自然のいろいろな現象を体験し、また植物や動物の生き方にも、数知れないほどのことを学び、あるいは生・植物連鎖の結びつきのなかで恩恵を受け、生かされている。人類は、決して万物の霊長などではないことがわかると思う。このような結びつきや連鎖、および縁が絶たれた世界を想像してみて下さい。それだけでも“ゾーッ”としてしまいます。

　人類は、身体はもちろんのこと、宇宙・自然界の多くのものからすべて創造されていることがよくわかります。そうして長い、悠久の時間経過のなかで多くのことを学び、経験したことの結果を知識とし、その知識（情報）を組織化して、次第に天変地異の異変に対応する知恵を授けられた、といえます。この仕儀がものづくりになっているのです。

ものづくり本職教典
前編

『"ものづくり" を本職とする自分』

まえがき

　学校を卒業した、あるいは転職した就職先が、手足、体などを使い、もの（製品：部品など）を作る職業に就いた時に、人は未経験者ほど、どうしようかと途方にくれて、迷ってしまうのが、普通のひとでありましょう。

　そんな時、あなたはどうしますか。

　そうしてしばらくすると、徐々に職場に慣れ、
　そこそこのものづくりができるようになります。
　かならずできるようになります。

　しばらくすると、ほぼ他のひとや、
　先輩と同じようなものづくりが、
　できるようになります。

　さらに、ものづくりを続けていますと、
　ほとんど先輩や同僚と同じものづくりを、
　失敗や不良品を出さずにできるようになります。
　そうして、一日の労働の疲れが
　少なくなったことに気付くでしょう。

　まず前編では、

この辺りまで述べてゆきましょう。

第1章
就職先がものづくりの職場の場合

第1節　ものづくり初体験者として職場に入る

　どのような職場でも、ある一定期間手習いの時期とか、研修というようにして、仕事を具体的に行うための訓練期がある場合が多い。しかし職場によっては人手が少なく、家内工業的な職業につく場合もある。

　職場の人数にかかわらずに、就職した職場で自分も含め、ほとんどの人が次のようなことを経験します。

初体験

(1)　時間の過ぎるのが遅く、何回も何回も時計をみては、「ああまだこんな時間か、休憩までもつかな」、「夕方まで大丈夫かな」などと思うのが、普通の人ですし、みなそういう経験をもっている。

(2)　さらに、しばらく（1）のような状態が続いた後に、自分はこんなものづくりを、ずっと続けてゆけるのだろうか。いつか飽きて、厭になってしまわないだろうか、などと迷い、戸惑うのが、誰しもひと通り、体験することなのです。このような心の煩悶は、ものづくりの世界の道だけではなく、どのような職業についても、経

験すること、それこそが人なのです。

(3) ものづくりの現場に限ったことではなく、仕事をする
ということをはじめて人生体験するわけですから、し
ばらくの間は、とても疲れを感じるのが普通のひとな
のです。
しかし、そうしながらも、仕方がなく諦め、そしてま
た自分をはげまし、気持ちを丸めてゆくようになって
まいります。

(4) (1)、(2)、(3) のような心の揺らぎをしながら、少し
ずつ仕事に慣れてゆきます。若い人ほど身体がよく動
きますので、上達するのが早い。その分少しずつ作業
時間にゆとりが出てきますので、同じ現場で作業して
いる先輩や同僚の様子をみるようになってまいります。

すなわち、初心者同士や先輩の作業の仕方と自
分の作業の仕方をみくらべて、比較する、とい
う態度が発現することになったのです。

そうして、他者と自分の作業の結果に結びつく、
検討と評価という結果の位置付けをしているの
です。
つまり、ものづくりの品質評価が芽生え、生ま
れてきたことになる。

(5) (1) から (4) のような経過をたどりながら、ものづくりの部品や製品を皆と同じように作れるようになります。

> ここで大切なことは、どういうことだと思いますか？
> 作業の心に迷いがあり、身体が重く感じる。
> それを毎日繰り返していると、必ずそれらが消えてゆきます。
> つまり、
> 繰り返し、繰り返し作業しているうち、自分流の、その部品や製品に対する仕事の流儀ができてくるのです。

ものづくり初体験者の心の迷いがなくなるのは繰り返し行うという、平凡なことなのです。

> "何度も何度も同じものづくり" を繰り返し、また繰り返し続けていると、継続してゆくという力がついてしまっているのです。

最初の頃はものの不具合の連続です。

初めの頃は、出来上がるものがなかなか同じような寸法や形状など、出来栄えが揃（そろ）いません。しかしながら繰り返しつつ、継続しているうちに、徐々に偏りや不具合がなくなり、さらに続けてつくっているうちに、何度やってもおなじようなものが出来てくるように、なってしまうのです。人には皆、このような能力が備わり、生まれてきているのです。

先輩や同僚にみるものづくり

　そうすると人は不思議なもので、他の人達はどのようにものづくりをしているのだろう、という関心を自然ともつようになります。同じものづくりもあろうし、別のものづくりもあろうが、人のものづくりの仕種や振る舞いをみるようになり、なんとなく自分と比較したり、ああそうかなどと自問自答するようなことになるのです。人は遅かれ早かれ、このような道を辿っています。たとえ、自ら意識しなくても、暗黙的にそうやっているのです。

　この仕種、つまり仕事の方法が、自分から離れ、"他にも学ぶ世界に入った"ということなのです。
　この意識転換が、『真似（まね）る、即ち学ぶ』という、ものづくりの大道に入り始めたという証（あか）しなのです。

①同じものづくりをしている人と自分のやり方を、まず比

114

較する場合もあるし、まったくひとの真似をして、とにかくやってみることもあります。

そうすると、自分の方が楽にできる場合もあるし、他の人のやり方のほうが、自分のやり方よりもうまくいく場合もある。

　　　この態度は真似によって、
　　　"自分流と他人流の融合ものづくり"
　　　の誕生、ということになる。

初心者時期の省察

②ものづくり現場で作業を始めた頃は、時間や一日のたつのがとにかく長く感じた。しかし①に記した通りの状態になってくると、時間に対する関心が薄らぎ、ややもすると消えていることに気付くでしょう。このことは大変有難いことで、初心者ではあるが、ものづくりができるという"自信が身に付いた"ということなのです。

　さあここからが、本格的なものづくりの道を歩むことになります。

ベテランのものづくり

　ベテランといわれる人は、自分の本務とする仕事において、ほとんど失敗のないものづくりをする人といえます。つ

115

まり本格的なものづくりをする人と言えるのは、仕事全体に対して、無駄なことがほとんどない、つまり今作業をしているものづくりに対しては、完成の域に達している人といえる。

『ものづくりの自信が付いてゆくこと!!』

（i）ものづくりの初心者にとって、どのベテランの真似をしたらよいか、迷うというより、どの人を見本としてよいのか、それさえもわからないのがあたりまえといえます。

ものづくりの見本となるのはどんな人!!

初心者が、ようやく作業になれてきたとはいえ、一分（いちぶ）の失敗もない出来栄えの人を初めとして、いろいろの段階の腕前の人がおり、どの人を見本としたらよいのやら、分からないのが当然です。

どう選べばよいのか

はい、その選択はある程度失敗をしたり、また初心者に近い先輩をまずみればよい。そうした初歩的なところから、次第に出来栄えの良い人を参考にして、倣う（ならう）のがよい。初心者は、作業に落ち度が無く、完璧に仕事をこなすような大ベテランを決して見本としないことです。理由は、初心者が折角努力しているのに心配事がふえたり、ややもすると劣等感をもつことにもなり

かねないからです。目標とするのは当然ですが、自分
より少し上の技量をもつ人をみながら進めばよい。と
いうのは、その人達は失敗もするし、自分ならそうし
ないで、こうするというように作業を批判し、失敗に
学ぶこともできるからです。また、その人が失敗した
時に、安心という大きな賜ものをいただけるのです。
つまり、「自分と同じように失敗するんだ」という気持
の安心感が生まれ、これくらいなら自分もできるよう
になれるな、という自信もいただけるようになる。そ
うして、同僚や自分の作業も含めて、それなら「こう
すればよいかな」とか、「あれを利用すればよいかな」
というように、「工夫する」というか、「作業の方法を
考えなおす」というような、ものづくり作業に対する
考えるというようなことが芽生えてくるのです。これ
が第二の自信なのです。

自分なりに考えながらものづくりをする

先輩や同僚の仕事ぶりを批判したり評価する対象者は、
自分の学びの先生なのです。もちろん失敗をしたり、
要領が得られていない、こういう工夫をすればもっと
よくなるのになとか、いろいろ作業そのものや、工程
の前後関係のものの流れなどまでも、より広く考えら
れるようになってきます。

自分なりの仕事の流儀

(ⅱ) 同じ仕事場で作業する人がいなくて、一人で毎日まい
にち、働いている人もいるでしょう。見本となる人が
いない、もし全く社内というか、職場にいない時には
どうすればよいのでしょうか。

その時には、「三顧の礼」を尽くして同じようなものづ
くりをしている会社や企業、あるいは店舗に修業させ
ていただくように取り計らっていただくことになりま
す。もちろんその職場は、環境からして、いろいろな
違いはあるのは当然ですが、「あるものをつくる」とい
うことに関しては大同小異といえます。この仕事場で
も、いずれ第１節の冒頭で (1) ～ (5) に述べたよう
に成長してゆきます。

そうなると、「ものづくり」そのものについて総合的に
考えるようになり、別のつくり方を考えだしたり、作
業工程の順序、あるいは工程の削除の是非など、いろ
いろなことを総括し、再構築するようなことにまで考
えが及ぶようになります。

作業者のこの態度の内容は、一人ひとりすべて異なり
ます。たとえ同じであると見做しても、ものづくりの
前後、左右、上下などとの繋がりは、総て違っている
のです。なぜか、と問われれば、それはその人のもっ
ている個性はもちろんのこと、生活環境、さらには
育ってきた文化、芸術などとの関わりが、個々人すべ
て違っているからです。ゆえに一個人が体験し、体得

した現場での作業というか、仕事そのものは、一種の芸術のようなものですから、その人なりの癖、つまり仕事の流儀が注入された「もの」、つまり個性の入ったものづくりになることは当然の成りゆきなのです。

それゆえ、その品物を自分のものづくりに使い始めるようになると、時と共に次第に、うまく馴染めるような当たりの良さが生まれてきて、もの同士がスムーズに嵌合し、そのもの同士でないとうまくゆかないようなことが起こることがあります。このような具合が生まれるのは、作業者同士の「個性の融合製品」ということで、言葉では表せない、わざそのものなのです。同類のものづくりが長くなればなるほど、より深い結びつきや、独特の馴染のある技術味にもなりかねませんので、つねに改善を重ね、進化させてゆく心構えが求められます。

第2節　一人前のものづくり

一人前になった自分

(1) 職場で初心者に与えられた仕事が、失敗やトラブルを起こすことなく、ひと通りものづくりができるようになった時、それを一人前になったという。食事の時に一人前とよく言うように、それは「大人ひとりが食べられる分量」のことと同じことなのです。

　一人前になった時が最も重要で、ここで初めて本格的なものづくりの道が開けてくることになります。

本来の一人前のものづくり
ここで初めて専門書を読む

与えられた作業をほぼ落ち度なくこなす。そうして周りの先輩や同僚に倣い、学び、さらに他の作業者の批判や評価から、自分に合ったものづくりができるようになった。この段階に至った時、今まで専門書や関連する著書などを読んでもあまりよく理解できなかった内容の事柄を、再度書を広げ読んでみることです。兎に角、最初目を通すのは、高校の教科書程度でよい。必ずもの足りなくなって、もう少し本質的なことを書いてある内容の「専門書」が欲しいな、となります。

すると、どうでしょう。高校や大学の専門書がこれまで余り読めなかった、あるいは読む気持になれなかったことが、今度はどんどん読めるし、はーん、なるほどと感心するような経験をもつことになります。普通の人、あるいは大部分の人は、理屈は実体験してからの方が、「なるほど」と感心してより深く読み解くことができます。

> なぜ、初心者に専門の本を読まないで、
> まずものづくりの体験を先にすること、
> と言ったのか。

専門に関する本をわざわざ読まないで、まず職場に入りものづくりを実践する理由は、余程の人でない限り、

体験を含まずして、ものづくりを専門の本に書いてあるように理解と経験を修得することは無理です。それは、１万人とか、それ以上のうちにひとりと言えるほど、稀なひとですから。

ものをつくる理屈が分かって、ものづくりをし始めると、人は自分が携わっているものと、他のものとの組み合わせや結びつきが、どのような組織構成から成り立っているのか、少なからず気になり始めます。

すなわち、自分のものづくりの立ち位置を、空からながめるように眺めたくなります。例えば"もののつながる流れの鳥瞰図"ということになる。

ものづくりのシステム（組織）

(2) 毎日まいにちつくっているものが、どのような製品のどの部分に使われ、役立っているのか、少なからず誰でも関心をもっているはずです。

なぜ、そういう気持ちをもつようになるのか、といえば、ものをつくり始める時に、注文者といろいろ打ち合わせをするでしょう。その打ち合わせそのものが、①ものの組織化のために、②製品になるため、③多くの注意点、仕様の条件、製品としての総合的な使い易さなど、製品として成り立つための総合的満足をはたすための自分のものづくり使命が、求められていることがわかってくるからです。

ものづくりは社会全体とつながっている!!

即ち、ものづくりは自分ひとりのものづくり
でもなく、会社や店舗だけでもないのです。
社会の、人類のためのものづくりなのです。
ものづくりは、世の中全体、そして人、一人ひ
とりとつながっているのです。

第2章
本格的ものづくり

第1節　一人前から職人へ

　同じものを来る日も、くる日もつくり続けている。そうすると、自然に身体が反応するようになる。いちいち次にこれを、そしてあれをと考え意識を常に働かせないと、ミスを生じることが以前には度々あった。しかし、現場で毎日同じようなものをつくっていると、強く気を使ったり、意識をよりもって構えなくても、自然にものづくりを失敗もせずに作業している自分に気付くようになる。

作業に疲れなくなった自分

　その頃になると、以前のように時計をチョイ、チョイ見たり、ああ疲れたなというようなことに、気付かないようになっている。つまり作業に対して疲れない自分が生まれてきているのです。こうなってくると、以前のものづくりに対する工夫を、より高次元の客観的空間、かつ十分な間合いをとって、改善を考えるようになる。この思考はより合理的である上に、自然体として、かつ革新的な創造性対応の柔軟性をも備わってくる。

　即ち、作業内容とそのものづくり動作が体に身に付くと同時に、「ものづくりの一貫した作業工程」に対して、安定

したバランスが維持されるようになってくる。このリズムはものづくりシステムに調和し、無理のない、楽というか、ある程度余裕のある世界、あえて言えば自分の利己的細胞と、ものづくりストレスの間に、ある和声学的世界が生まれ、心身融合したとみなされます。長い人生の間にはこれに近い経験をすることがままあり、しかもそれは、とても感受性の豊かな時期に、このような体験をすることが、よくあります。

　ものづくりの例ではありませんが、少年の頃、清々しい秋の夕暮れに、野良の道を牛を連れて走った。そんな時、一緒に走っても、走っても、いくら走っても気分がとてもよくて、疲れないのです。このようなことは感受性が、きわめて高まった時に、よく体験することです。

職人は、一人前の仕事ができる上に、独創性を身につけた巧みな技<ruby>技<rt>わざ</rt></ruby>をもつ人をいう。

　あえて言えば、ものづくりで誰かに相談し、おこなってもらってもできないでいる。そんな困っている時に、「ではあの人に相談し、頼<ruby>頼<rt>たの</rt></ruby>んでみたらどうだろう」ということになる。

　その人は暫く、じっくりと事の成り行きを聞き、「ではやってみるか」ということで引き受け、しばらく日時が過ぎてから、あとで来るようにという連絡がきて、いってみると、ものの見事に不具合がなくなった完成品を受け取ることがあります。

　依頼人の当事者も、事を完成した職人も、共に胸いっぱいの感動と喜びに浸ることになる。

　このような独特のものづくりができる人を職人という。特にものづくりに不良品が頻発するようになったり、何か新しい製品を立ち上げるような時に、この職人の技をもつ人が重要な役割を果たすようになります。

　一人前になった人がそれぞれ前述のような職人技を身につけられるか、ということになると、すべての人がというわけには、まいりません。

　根気があって、飽きもせずに繰り返し続けられる意志が強くあり、ものをつくりながらいろいろ考えたり、空想できるような人が、職人になりやすい。というのは、頭の回転がよく、何事においてもそつ（手落ち）なく、落度がないような人の職人は少ないといえます。

　職人の中には、時には「何回も、何回もやり直して、またやり直して」というように、自分の気が済むまでやりなおしてつくる人がおります。周囲の人達には、心配をかけたり、気持ちを高ぶらせることにもなりかねません。しかしながら、社内、同僚、あるいは隣人にとっては、ある時には貴重な存在ということになる。

『職人の天性の“わざ”そのものの伝授は、無理です。』
実例

　腹心の友である京大教授、並びに後に三菱重工㈱の技術の要となるひととの、ある若い頃の共同研究のできごとで

す。

　包丁などを砥ぐ時に、砥石をつかいます。その砥石を、た
とえば回転している表面に強く当てて擦りすぎると、焼け
て色が次々と変化し、遂には接触全面が真っ黒く焼けてし
まいます。世界のどの教科書にも、説明書きはありますが、
焼けていく変化の色を撮影した写真は見当たらなかったの
で、焼けの原因を究明し、写真も撮ろうということで実現
したことがある（精密機械、44巻9号、1983）。新幹線で
京都に着く間に、彼等は現場の職人もまじえて、指示済み
の条件で実験を行っていた。だが何回実験しても一向に発
生しなかったので、諦めかけていた。それを聞いて早速、
無色から始めて、淡黄色→淡褐色→褐色→黒褐色→紫色
→青紫色→青色→黒青色→黒色の変化を、何度も何度も撮
影、再現し、発生させ、論文報告した例がある。

　同じ条件を使って他の人が実行したとしても、そう簡単
にはできない。文字や言葉などの形式知としての情報を教
えていただいても、その通りには発現しない。多分この暗
黙的な知識は、一つのリズムというか、その人独自の内在
的感性が、心によく反応する動作がそうさせているのかも
しれない。

　どのような出自の職人であろうとも、本格的職人には、上
記のようなその人にしかできないような独創的な技能が潜
在している。

　したがって、本格的な職人は芸術の域に達した「独自わ
ざ」をもっており、それゆえに、本格的な職人は、

"綺麗なものづくり" ⇒ "美しいものづくり"

に達している人といえます。

　もちろん、会社や店舗への顧客からの注文や契約には、ここまでの品質を求められることはほとんどありません。たとえ、そこまで高品質の製品を納めたとしても、相手先にとっては過剰品質となります。それによってもちろんより良い場合もあろうが、その反対に問題を起こすことになりかねないときもあります。

第２節　職人と道具
職人が一日の作業を終え
帰ったあとの仕事場

（1）道具は、買い求めた時か、それ以上にピカピカに手入れされ、いつでも使い始められ、使いやすいように準備されている。

　　そうして使用頻度が多い道具ほど、作業者自身の手足の届きやすい位置（高さとか、方向と向き、人の手足の操作範囲など）に、自然配置されたようにおいてある。

　　しかも、それらの道具揃いは、どなたが見ても、綺麗であり、かつ美しくさえみえる。

さて、その職人の一日の作業の様子をみてみよう。

"仕事の流儀"

(2) 朝、現場にはいるなり一礼をしている。そうして作業が終わり、帰る時にも一礼をして、身を整え、朝の姿と同じようにして、その場から去ってゆく。

勿論、使った道具、あるいは器機を使えば、朝の使い始めと同じような状態に掃除、点検、給油などの調整をし、いつだれが使っても大丈夫なように整備している。

人によっては、そこまでやるのと、疲れると思ったり、厭_{いや}がって億劫_{おっくう}になるひともいよう。

しかしながら、職人といわれるひとの大半は、そうして整備しておかないと、どうしても気になって気持ちが落着かないので、そうしているだけであって、むしろ一種の性分なのであろうと、みた方がよい。

即ち、職人の域に達するような人は、作業といおうか、仕事でもよいが、その"仕事の中味に自分の気持が楽になる落着きの場所をもっている"ことになります。そのことは、その人の仕事の中に自分の生き甲斐を、自然に見出した、落着き、居心地がいい場所なのです。そうして綺麗な道具、美しく整理整頓された道具揃えをすることによって、自分の心が落着き、身体も丈夫で、健康を保つことができる。それが職人の命の居場所、つまり"職人の仕事としての流儀"なのです。

ほんとうの職人の道具

（3）職人の "ほんとうの道具は、真に手足の指先となる道具" なのです。それ故、本格的で個性豊かな職人は、独創的かつ自己の感性や身体表現に合い、満足の感受性が得られる、独自の道具に改良したり、創造したものを備え、使っている。

市販品の道具は、一般形というか標準品なのです。

"職人が専用する創造的道具"

（4）どうして本格的職人は専用的道具をもっているのか、と問われれば、「その創造的道具を使うと、自分の指先ではないのに、全く自分の指先と同じか、それ以上の動きを自然に、かつ無意識的に得られるからだ」と答えるでしょう。

人間には、もともと持って生まれた時からの心ばえや体のくせという生得的態勢が自立的に内在しています。ですから100人いれば100人の個性があり、個性同士がマッチすると、とてもスムーズに付き合うことができます。道具も同じで、一人ひとりちょっとしたところで、馴染み良さの違いが現れます。

そこで何年も何年も同じ作業を繰り返し、ものづくりをしているうちに、この道具はこうしたらいいとか、このように変えた方が使いやすくなるというような、暗中模索が続き、そしてその時々に最も使いやすく、自分の考え、想像した通りのものづくりが容易にできる

ように、心身一如の道具になってゆきます。

その自分用道具こそが、感性を満たし、思う通りの動
きをするので、作業に対する道具疲れは、どんどん軽
減されるようになります。道具の形状はもちろんのこ
と、寸法までもその人の心ばえや体形に見合ったかた
ちや寸法におさまっていくのです。

他の職人の道具は使うな

(5)　長い間職人が常用している道具は、その人自身のくせ
というか、個性的動きや考え、そして愛情さえも含めて、
心体の一部になっている。その道具を借用して使い始
めると、ある段階までの仕事をマスターするには、あ
る人にとってはとても使い易い場合があるかもしれな
い。しかし、ある一定のものづくりの能力がつきはじ
めると、どうも使いづらさを何となく感じる時がまま
生ずることになります。それは当然の成りゆきで、借
用した道具の持ち主の職人との心身の反応する個性的
能力差を感じるところまで、道具を借りた人の技能が
成長した証しなのです。

それゆえに、道具を借用した人は、道具の持ち主と同じ
個性にはなれないので、一種の職務の停滞時期に入っ
てしまうことがあります。

初心者として、ものづくりの道に入った時期から、皆と
同じように標準的な市販品の道具を使い始めるのが基
本といえます。そうして周りの人の使い方に学び、あ

るいは先輩から教えていただきながら、自分用の使い
勝手の良い道具を工夫をしつつ、そうしながら、寧ろ
こうした方がよいというような自発的能力が、芽生え
てくることになるのです。

職人が一日の作業をすませ、そうして家に帰っていっ
たあとの、その人の仕事場をのぞいてご覧下さい。見
事な道具揃いと、一つひとつの使い込み具合に、その
人の作業の痕跡が形状と寸法となって現れています。
ものをつくる時の力の入れ方、道具一本いっぽんのへ
たり方、粗い仕上道具、中仕上道具、そうして仕上道
具の使われ方に、それぞれその人の感性というか、個
性を含めた道具の顔つきが現れた状態で整備されてい
るのがよくわかります。

第3章
技 術 者

第1節　技術

技術と技能

　これまでにも多くの人の説明がありますが端的に言えば、技術は知識（情報）の総合であり、技能は経験知（心と体の経験）の総合と言える。いずれも次々と獲得されていく新知識と新経験の蓄積過程の知識と智能の総合化の営みから発現されていく。

　更に言えば、技術は科学の下流にあり、技能は知識化が困難な感性・感覚と独創的な個性技<ruby>技<rt>わざ</rt></ruby>をも属性として固有化しているので、再現性というか、繰り返しの品質と精度を再生することは難しい。即ち、技能は感覚と独創性の体験智といえるからです。

　それゆえに、本格的な技術は、技術と技能の両方ともに備えていくのが本来の姿勢といえます。

体系としての技術の流れ

　技術の在り方を描いてみますと、図14のようになります。

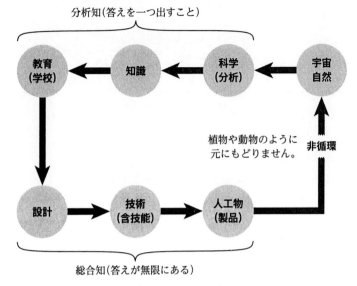

図14　体系としての技術

　技術は図14に示すように、宇宙や自然現象の不思議なことと思ったことを分析し、原因はこれだろうということで、再実験を人工的に行ってみる。そうして、繰り返し何度やっても同じ現象が再生できた時に、その結果は新発見として、新しい人工的知識に生まれかわります。即ち、この分析による答えというか、結果は、必ず一つということになる。しかしながら、この結果は宇宙・自然の中の多くの事柄と結びつき、つながりをもっているにもかかわらず、人間にとってそれをも含めて導き、新知識とすることは不可能なのです。真理は一つ、といえども、自然自体はより細密な一つひとつの真理から構成されているからです。ご

存知のように、原子は電子と原子核、原子核は陽子と中性子というように、一つひとつの真理は、またその奥にある真理からなるように、どこまでも尽きることはありません。

　このような分析手法をもつ科学の限界は、宗教つまりキリスト教と密接な関係をもっている。即ち、神は二者以上ということはありえず、唯一でしかありえないという思想と、深くかかわっている。勿論この科学の方法は、教育しやすい側面をもっている反面、統制しやすく、創造や独創性という人間の個性養育には適切とはいえないし、摘み取ることにもなる。

　図14の上図に示す科学→知識→教育はすべて真理というか答えが一つという、宇宙・自然を知る人間の脳にとっての、一種人工的知識創出の分析学といえる。そうして同下図の設計→技術→人工物（＝製品）というものづくりの過程は、分析知識一つひとつの"総合過程"に加えて職人わざという技能から構成される。すなわち、人工的知識と智恵の理屈によるものづくり製品ということになる。

　この人工物をつくる回路は、生植物のように宇宙・自然にそのまま戻ることはできない。何故、そのまま自然に戻れないのかといえば、ものを技術的につくる本心は、

　人工物（ものづくり）は、物のもっているエネルギー準位を少しでも高め、人間に対して安心で安全なレベルまで物が壊れなく、かつ寿命を長くする。という宇宙・自然との矛盾を、局部

的に構成し、かつ準位を上げ、付加しているか
らです。

　科学という方法で得た知識の最適な知識を総合し、もの
づくり製品のエネルギー密度を高めるからです。そうして、
「人間は高められたエネルギー密度の増分によって、安心、
安全、長寿命という、人間の心身の弱さを満足させようと
して歩んできた」、からです。

　しかしながら、この心身の満足をエネルギー密度の増分
によって得てきた科学と技術は、宇宙・自然の歩む変化速
度とエネルギーとのバランス（平衡）を必然的に崩してし
まっている。

　ものづくりの原点に戻ってみてみよう。

　ふりかえって、古来のものづくりをながめてみると、も
のが壊れたり、寿命に至ると、作り直したり、また元の素
材に戻したりして、自然の循環に入るようにして納めてい
た。

　このようにして、ものづくり製品の宇宙・自然への非循
環において、調和がとれるエネルギー密度の解放と、寿命
の再調整をはかっていた時期がある。

技術の限界

　人間がつくった身のまわりの機械や器具の製品をご覧下
さい。いろいろな機器がエネルギーで動いています。例えば
落雷により過電流が流れ停電になったとします。家電機器

は総て使用不能に陥ります。同時に、暑い夏、寒い冬の時のエアコンの停止は人によっては生命の危機にもなります。

> 我われ人間がつくっているものは、その製品の限られた範囲内の条件のみの、動きだけ可能なのです。

　製品に自律機能をもたせて自己制御、自己診断、修繕ができる仕組みをつくればよいと考えるでしょう。しかし、それは制御が制御を生み、どこまでいってもきりがなく、際限なく続くことになります。ましてや落雷のような自然とものづくり製品との関係や、影響などをうまく制御できるような技術を確立することは不可能といえます。

　飛躍して、とどのつまりを例にとれば、お分かりと思います。科学という現在の唯一の方法をとったとしても、科学が行き尽きるところのビッグバン宇宙を作るとか、制御するとかということは不可能であり、尽きることのない自然現象によって起こる天変地異の変化に対応可能な制御製品をつくることは、むしろ無力といえます。即ち、ある程度までということなのです。人はよく想定と言いますが、事象変動の予測は、すべて人間が任意の原因と結果をもうけた人工的な条件なので、想定は保証書のない例えばの(if文) 話なのです。

　人間は、社会はもちろんのこと、ものづくり製品に対して、安心して使えるように、安全な使い方ということで、技術

者は製品の安全率を定めて市販しています。人工衛星、ロケット、飛行機、電車はいうに及ばず、自動車に対しても安全率を定めて販売しているのです。

> 安全率を規定して、総ての製品をつくっている。しかしながら、安全率は、特定条件下で実験を行い数式を定めている。すなわち、自然のなかで使われる製品に対して、作用する総ての影響因子を含めることは不可能なのです。
> 故に、人間を真に満足させるような安全は不可能といえます。

※さらに詳細に安全や安全率を調べるには、JIS規格集や日本機械学会便覧を参照して下さい。（それでもある程度の安全を得て、安心して、製品を使えるようにする技術はあります）

(1) 技術者は、多くの規格に従って、使い方を考え、製品の仕様書を作りながら設計し、図を描きます。設計図を描きながら、多くの弱点があることが分かりますので、弱点を総て列記しておき、製品の仕様としてまとめる技術者には、公知する義務と責任があります。

(2) (1) によって設計者は、設計上の弱点がわかりますので、現場の生産技術者、あるいは職人に設計上の弱点

を伝え、製作してもらいます。同じく社会に公知する義務と責任もあります。製作者は、製品の生産過程における弱点を総て網羅し、生産工程で生じた弱点をまとめておきます。

(3) 製品仕様書を製品作成の当事者が各々まとめた仕様書をつき合わせ、製品の安全使用書を作成します。もちろん、使用期限、性能期限などを規定することになります。

第2節　技術と安全確保
製品の安心使用の安全対策技術

　宇宙・自然の生成物を初めとして、人間がつくるものづくり製品は、次第に劣化し、例外なく壊れます。

安心して製品を安全に使うには、仕様書に書いてある使用規定に対して、より控えめに使うことです。

『安定した安全作業のために』
製品使用者の技術的診断は、使用中はもちろんのこと、作業終了時に必ず変化の有無を点検し、使い始めと同じ状態に手入れをしてから完了することが基本です。

---

(1) ものづくり製品の安全使用のための手引き

　製品の使用中にトラブル（故障など）や異常を全く起さないことは稀なことで、ほとんどが、何らかの困難な問題を起こすことが一般的なことなのです。生物も、もちろん人間も、風邪をひいたり、いろいろなことが次々と発生します。ではどうすればよいか。

　"人間と同じように、毎日まいにち"手入れをすることです。

使用品の手入れ原則⇒毎日の製品点検が原則

①締結力の緩み（隙間の増減を調べる）。

②製品の各部をハンマで軽く叩き、音の高さの高・低音化の有無を調べる。

③製品稼働中の、各運動部品の温度の増減を調べる。

『技術者の点検３要素』

要素１：力の点検、要素２：音の点検、要素３：温度の点検

　すなわち、お医者さんが、血圧、心臓音、体温を調べることと同じように、ものづくり製品を作ったり、使用したりしている時々にものづくり機械を、診断し調べ、製品使用開始時（健康体の時）と同じ値に収まっているかどうかを、億劫がらずに常に、毎日安全を確かめることです。

　次に、安全な状態を少しでも長く維持するための方策を考えることになります。

(2) 製品の安全使用の維持と技術責任

　人間はもちろんのこと、生物全般に言えることですが、基本は製品使用中を含めて、要素1、2、3の点検を毎日、欠かさず行うことです。そうして、①製品の機器具の給油漏洩や劣化、濁り度、さらに、②空気や水など流路内の汚染度の給油漏洩など流路内の汚染度の点検、そうして、③寸法や形状が変化しているかどうかなどを確かめ、手直し可能なものはもとの状態に再生することが、技術者自身にとっても大事な義務であり、製品の安全性に対しても基本的な務めになります。

　安全性を最も高くすることは、生産者自身の安全はもとより、製品を購入した使用者自身の安全について、総合的な安全を図ることになります。

> しかしながら、製品が寿命を全うする全期間を一貫して、安全を保障することは無理なのです。それゆえ、少しでも常態使用が安定的に可能な期間を、長く保ち維持することが唯一の務めなのです。

　"その極意"は毎日欠かさず、要素1、要素2、要素3。
　並びに第3章第2節（1）の①、②、③の点検を手を抜かず行い、健全な常態（使用開始時）の性能に可能な限り近づけることです。技術者としての基本的な務めになります。日々この務めを、なぜ果たしてゆくのかと思うひとが

いるでしょう。自分自身の体のことをみて下さい。自分でも意識しないうちに、起床してからしばらくのうちに、今日は体調がよさそうだとか、ちょっとの間に感じるでしょう。昨日、そしてその前日からの体調や身体の具合を、最も体がリラックスしている時に感じることができます。そうしてお医者さんにみてもらうかどうか、判断するでしょう。これと同じことを技術者は、その日の仕事開始時に感じ取ることができます。仕事の循環が滞らず、スムーズな流れができる手応えは、前述した通り、日々のものづくり機器具の手入れと、今日の作業の段取り（＝準備）が整っているかどうかが、決め手になります。

トラブル（混乱）防止は、ものづくり機器具の前日の手入れと点検を、終始一貫して続けることです。
この作務こそが、自分の仕事遂行を円滑にし、製品を購入した使用者にも、ものを大事に使用しようと、無言のうちに伝わります。

『即ち』ものづくり製品の生産技術者と、使用技術者との間に無言の使い方と使われ方手引き書が生まれることになります。

　前述の製品の生産技術者と現場の使用技術者との間に生まれた無言の会話は、製品がもって生まれた資質なのです。

すなわち、製品が本来もっている性能を隈〈くまな〉無く発揮し、バランスよく動き、働きたいという呼びかけを、生産技術者は見抜き付与する義務があります。一方の製品使用者は、製品の資質を生かした使い方を製品との五感、また暗黙的な勘の反応や触れあいから導きだすという、技術者としての醍醐味があります。

(3) 技術と技術者の幸せ

　人生には、"善いことも、悪いこともある"。人は人生を振り返って、善い経験をもったことに幸福をつくづく感じ、噛〈か〉み締〈し〉め、味わい、その時の感激を今もって心に美しく残っている、という人もいよう。

　このように一生もち続けられるような幸福は、そうそう容易に体験することは難しいし、期待していても思うようになるかどうかもわからない。

　しかし、このような人生のトピック（宝物）となるような幸せに対して、もう一つの幸せがある。技術者というか、毎日まいにちものづくりをしたり、また多かれ少なかれ、多種多様な仕事をしている人びとについていえることがある。

実例

　来る日も来る日もダイヤモンドの研磨〈けんま〉をしている。もう50年にもなる日々を繰り返し、毎日、今日も磨いている。顔は温〈おだ〉やかであり、身体の動きも空気が乱れることがないほどゆるやかにみえ、手足はもちろんのこと、肩にも力む

ところがみられない。“自然体のものづくり”にみえる。

　作業中に問いかけの質問をしても、厭(いや)な顔つきや素振り
をみせることなく、淡々と丁寧に応えてくれる。無理して
我慢(がまん)をし、自分を抑えているのだろうかと思った。そこで
他の人達に聞いてみた。すると皆の彼に対する印象は、ほ
とんど前述のような人です、ということであった。もちろ
ん初心者の頃を知る人も含めて同じようなことを言ってい
たが、初めのころからそうであったわけではないことは言
うまでもない。多かれ少なかれこの人は、ダイヤモンド磨
きの“つぼというか、秘訣に到達する勘所”をとらえている
に違いない。

　いろいろな難度の高いダイヤモンド道具の注文が世界各
地から来るが、そのような難度の高い技術製品は、どこで
も手間や暇(ひま)（時間）がかかるために断られるのだろう。と
どのつまり、その会社に来ることになるが、実はその人に
注文がくることになるわけです。

　彼のダイヤモンド磨きは、一日や二日で、技術をみがき、
試行錯誤しながら到達したわけではない。何を言いたくて、
実例をあげたのか、それはつぎのようなことでよく理解で
きる。

『技術者の技術の幸せ』

　一日いちにちのものづくりの技術のなかに、心と
　いうか、気持を満たすような小さな発見というか、
　技術との、小さな発明との出会いがあり、心が満

たされるような幸せがあったのであろう。

ものづくり過程での小さな幸せなのです。

　一日いちにちを大事に、そうして、今やっている仕事の中に少しでも気持が満たされることがあれば、それが幸せとなり、今日あるような温やかな顔をもつ技術者が生まれたとみなせましょう。堅いたとえを言えば、『一道は万道に通づる』ということになろう。くどいことをいえば、「人が生きている実感は今、この瞬間なのです。今、おこなうことができることを淡々と努めることが最善といえましょう。

第3節　技術と技術者の本懐

（1）技術と技術者の根本

　技術と技能を併せ体得している人が一人前の技術者、といちおう言えるだろう。しかし、それは一人前であって、結び繋がっている人びと、と関連している領域、さらにいえば一人前以上の仕事を含めて、こなしている人こそが本格的な技術なのです。

技術の本体とは

　技術は、“自然形態に最も近い”ものづくりをすることです。

　こうして完成した技術製品は、最も無駄が少なくなります。

たとえば、

①稼動中のエネルギーが最小に近づき、エネルギー消費量
　も少なくなる。

②使いやすく、使用中の疲れも少ないうえに、心地よく使
　える。

③使っている時に安全かどうかの反応を手応えとしてわか
　り、技術製品の寿命がよく読みとれる。

さらに言えば、

　①，②，③のようなものづくり製品を世の中に送り出せ
る技術と技術者の組織体が、製品のものづくり回路という
か、経路において、柔軟に行われている全景を一刻、刻いっ
こくと感じながら技術進行できていることを体感できるひ
とこそが、本格的技術者といえる。

> この体感が技術者の醍醐味であり、
> そんな時々の、一刻、刻いっこくこそが
> 幸せの実感なのです。

　故に、設計図に描かれた技術、あるいは個々人のもつ技
能をふくめ、ものづくり組織体系の、全融合体がものづく
り製品になっているのです。では、どうすれば自然形態に
最も近い、ものづくり製品に近づけることができるように
なるのだろう。

　人類というか、人というか、人間はもとより自然生成物

なのです。それも森のなかで生きてきた。現在でもその暮しに近い生活をしている人がいることはご存知のとおりです。

　森の中に入ってごらんなさい。清水が流れ、鳥は囀り、もちろんのこと多くの生物が生息し、鳴き声や生きている様子を聴いたり、みただけでも心が満たされ、癒されます。さらに清々しく、爽やかな空気や木漏れ日、それだけで清心になり、心の芯までも洗い、浄められる幸せを感じた経験をおもちでしょう。

　空に聳える樹木林の苔け生す下草の中を歩きながら、新鮮というか、譬えきれないような大気にひたっている。すると、神秘というか、胸の奥底まで、すがすがしく、キューンとなるような神々しさにひたることになります。

　人間にとって、このような癒しの空間をもつ、もてることこそが、本来のつまり、約138億年の宇宙素性にもとづく、自分にかえることになるのです。

　この態勢こそがものづくり技術の泉になります。技術を『理詰めだけのものづくり』にしてご覧なさい。世の中に理詰めの製品が出た時に、人びとはその製品の賢さ、並びに機能や構造などのデザインを含めた斬新さに圧倒され、他の同類製品が凌駕されるかもしれない。

　そうして、その新製品に対して熱気が冷めないうち、またその製品を凌ぐ見事な新製品を世の中に送り出し、続け、繰り返していくことになるのです。

　このようなものづくりは、一部の天才的知識技術者の主

導による手法といえます。このようなものづくりの循環経
路に一度入ると、関係者は超多忙となり、前述の自然形態
に基本を置くものづくりから徐々に離れ、まさに人工的経
路や環境におけるものづくりを歩むことになります。

　ある時期の間は確かに利益が上がり、儲けることはでき
よう。しかし時が経ち、世の人びとの関心がまた別の流れ
の製品に移っていくと、天才的知識技術者は、頭を切り替
えて、別のものづくり製品を発明し、世の中に送り出す。
あるいは、全く別の次元やものづくりとは余り関係のない
商品を考案したりもする。

　ものづくりの本懐は、世の人びとの生命や生活資源を護
ることが本来の目的といえよう。生命や生活の資源は、宇
宙や自然と直接繋がり、そして天変地異などの影響から身
を守るためのものづくりが本来の姿といえます。利益や儲
けを出すこともちろん大切ですが、その陰には、困った
り、苦しんでいる人々がいるので、その副作用を最小にす
るうえでのものづくりといえます。

　さて、この辺りで技術の本体に戻ります。結論を言えば、
ものづくりの本体は、創造性にありますが、それは一人ひ
とりみな違います。つまり個性に由来した独創が、ものづ
くりの本体なのです。その本体は宇宙・自然を礎とした創
造的ものづくりになります。

技術は何のためにあるのか

　技術の収束点は、前述している通りビッグバン宇宙なのです。技術開発し、人間の快適性というか豊かな生活をもとめるという一面的な技術は、ものづくりのエネルギー準位を上げることですから、そのエネルギーを供給する側も、薪、石炭、石油、ガスというような分子エネルギーから、原子の核エネルギーの分裂崩壊熱利用、さらには原子誕生の重水素の核融合反応エネルギーによる太陽のようなエネルギーへと歩むことになる。

　このような道をたどってきた技術の道は、ロシア、アメリカ、そして日本の原発の例をみれば明らかなように、トラブルというか事故が起こった時に、それがもっているよりも、より大きなエネルギーが事故防止に求められる。

　エジプト・ギリシャ文明に端を発し、西欧が生み育てた科学と技術文明はきわめて強力な駆逐力と侵蝕力をもって各文明を席巻してきた。そうして、グローバリゼーションというような掛け声と共に、宇宙膨張のインフレーションのように地球全体におよんでいる。その潮流は近代文明を生んできた。しかし即ちエネルギーを中核に据えた、ものづくりの副作用として現実にあらわれている。顕著な例として、深海3000mを超す領域に高温化した炭酸ガスが海水を温め、高温海水はどんどん海底に入っていく。そうして温められた海水は海面から蒸発し、空の冷たい空気によって雨や氷となり、想像を絶するような大豪雨を集中的にもたらす。

　勿論、山はもともと岩石のみの裸の岩山であったから、表土は滑り台を上滑りするごとく地すべりし、驚異的大災害が発生する。同時に海水面温度の上昇は異常な速度で、かつ局所的に蒸気上昇が起きるために、想像を絶するような低気圧を発生し、高速上昇気流を伴った台風、ハリケーン、並びに竜巻が生まれ、甚大なる風水害をもたらす。

『人類の存続を考えた技術』

　エネルギー準位を高め、機器類の品質や便利さ、使われやすさなどを求めた機能や構造の研究開発を進め、人間の欲望のみを満たすような技術開発によるものづくりはもう無理といえる。即ち、従来のような科学や技術文明は維持できないのです。

　人類の存続を少しでも延ばすためのものづくり技術は、

"小資源、小廃棄を基本とする技術の出現"

ということになります。

　しかしながら、人間はパンだけでは生きてゆけません。

　しかも、人間の欲望を否定した生き方もまた無理なのです。

　人類は、『人間の欲望』と『資源の有限性』との間を、何とか折り合いをつけた「小資源」、「小廃棄」の核心的ものづくり技術の思想の誕生と、人類生存の可能性と希望をつなぐ、ものづくり技術は勿論のこと、哲学を含めた樹立が待望されているのです。

第4章
技術と研究開発、そして発明

第1節　技術者の醍醐味

　あるものづくりの技術分野で、基礎力もつき、技術力も
ついて仕事がおもしろくなり、ぐんぐん調子が出てくる、
いわゆる「脂が乗る」といわれるのは、25から35歳あた
りであろう。その頃になると、自惚れや横柄な態度となる
のも一般的によくみられる。まあそれはそれとして、まだ
野生的なところも残っているし、いろいろな物・事につい
て、非常に高い感受性もまだもっている。そのうえ、作業
にスッポリとはまり、若さというか、みずみずしく新鮮な
ものづくりモデルの典型といえるような自然のリズムも窺
える。

　以上のような状況を自分が感じるようになると、それが、
ものづくりの技術データによく現れてくる。

"ものづくり技術記録に現れる醍醐味"
実例

　新幹線の車輪もそうですが、鉄や鋼を削る時に旋盤とい
う機械を使い、バイトという工具を使って寸法と形状を設
計図に従って作りあげます。そうして約5万km走った頃
再び削正しつつ使っている。そんな仕事をしている頃の話

151

です。

　一礼して、研究室に入り、一通りの清掃をする。身を整え、今日一日の無事を祈り、いろいろ使う機器具に挨拶をしてからとりかかる。

　機器を試運転し、起動状態、機械音、潤滑油系統の規定圧力、駆動部の温度上昇など、お医者さんと同じような診断を、毎日、作業開始30分前になじみ運転するのです。

　そうした一連の予備支度をすませて、安全を確かめておきます。そうして、機械―機器具―測定機器を作業者が使い、作業しやすいように配置し、作業動作が無理なく流れるように整えてから、仕事にとりかかります。

"能力以上のものを感じる自分"

　特に、午前中の10時頃からとか、夕方が近づく３時頃に前述のような素晴らしい体験をすることが多い。

　使っている機械、機器具、測定機器と自分をとおして、循環している経路が、何ともスムーズなリズムとなって、自分の心を安心させて何ともいえない心地よい気分になるのです。そんな時のものづくりは、

> 何回繰り返しても、同じものができる。
> 何回繰り返しても、同じ測定記録が得られる。
> そんな時、
> 全く疲れなく、快く、幸せな気分になる。

　このように、不思議としかたとえようもないような体験
を、特に感受性旺盛な時期こそ多く経験する。こんな体験
をした時、感極まり、広い運動場に出て、徹夜の朝日を眺
め、両手で逆立ちして嬉しさの涙のなかで、太陽の有難さ
にお礼をしたことがある。

　このように、仕事や技術に感動したり、時には失敗もす
るし、挫ける時もありますが、失敗や苦しみが絶えること
なく、そう長く続くことはありません。それゆえ、無理を
せず、一生修行だという思いをもって一歩一歩と歩んでゆ
けば、思いのところにやがて辿りつくことになります。「歩
めば至る」ということです。それはやはり、その時、その
時に自分ができるかぎり真摯に努めることです。

　もう一つ身近な実例をあげましょう。

実例

　今は、写真屋さんでもやっていませんが、写真を現像す
るさいに、現像液や定着液をつくり、そして水洗などを暗
室の中に入って行ったものです。その時、液の温度を40℃
とか43℃のように1℃刻みくらいで、現像剤や定着剤を溶
かして使うことがあります。

　このような液つくりを何回も、何回も繰り返し行ってい
ると、測温のために温度計を用いなくても、手を温水に入
れただけで、39℃とか40℃というように、手で温度を1℃
刻みに、知ることができるようになったことがありました。

　全く不思議なことですが、そんな能力が、知らない間に

ついてしまっているのです。

感受性が多感、そして豊かな時に

　人生を振り返ってみると、若さがあり、まだ野性味のある頃、普通考えてもできそうにないことができてしまう。あれこんなことができてしまったと、そのこと自体に驚き、深ぶかと心の底から感動することがあります。もう一つ実例をあげましょう。

実例

　30歳になって間もない頃、鉄鋼丸材の回転疲労試験を行って、何回転でき裂が入り、破壊するまでの実験を行っていた。１分間に約1500回転で行い、だいたい10^8回だから１億回くらいまで行う。

　回転している丸棒の試験片がいつき裂が入るか、勿論顕微鏡で動いているものを観ることは難しいので、目視観察するが、それも無理なことです。それでも見続けていると、錯覚し、き裂が入ったような気がするので、回転を止めてみると見当たりません。

　そんな繰り返しを１ヶ月も２ヶ月も続けていたある時、回転している丸棒が停止しているように見え、そしてき裂だけが何となく見えたのです。とめてみると、やはりき裂がほんの少し発生したところでした。どうして、動いている最中の傷の発生を視認できたのか、原因の理由は、それらしく説明できますが、ここまでにしておきます。

"人間の可能性"

　考えてもできそうにないことが、実現してしまう。そうそうあることではなく、全く能力以上といえる、夢をみていることのように実際にできてしまう。

　野球の神様といわれるようになった、巨人軍の川上哲治は、若く体調のいい時に、「投手の投げたボールが止まって、縫い目まで見えた」といっていた。川上は信念の強い人であったから人並み以上の、しかも彼独特の手法というか、剣道で言えば『秘技』のような"蘊奥のわざ"の技術を編み出したのであろう。この実例は、その人のもつ聴・嗅・味・触・視覚が健全に発動したうえに、可能な限り技術を磨き上げ、心の動揺と体を鍛えにきたえた心技体融合という『賜もの』であり、稀な贈りものなのであろう。心の奥底へとつくづく幸せを感じ、何にお礼してよいのやら、感激で胸が清涼な空気におおわれ、ひとり深ぶかと幸せになるそんな時があった。

　それは決して特定の人がなるのではなく、たまたま若い時のいろいろな巡り合わせがあって、そうなるのであろう。人は、そんなひとのことを『運がいい』とかいうこともあるが、それも巡り合わせのひとつなのです。というのは、沢山次からつぎに世に送り出される、歌詩を聴いたり、読んだりした時に、どうしてこのような「素晴らしい詩が生まれ出てくるのだろう」と思ったことがあるでしょう。内容のすごさに驚くことはもちろんのこと、しかも自分でも気がついた時に、自身がどうして、と不思議さに感極まる

ほどの神秘的な世界に導かれることがあります。

　人は器用だとか、不器用とかいうだろう。しかし人にはそれぞれ備わった属性があり、一人ひとりすべて個性をもっている。技術を求めるという道は、それぞれ一人ひとりのもつ人生なのです。大切なことは、その時々に、『自分の歩むリズム』というか、自分の心の古里を求め、『自分の歩幅(はば)』を知り、そして一歩いっぽ歩んでゆくことです。同様に大切なことは、『善い老人と出会う』ことです。欲とか損とかを疾(と)っくに超越し、慈味深く、人生を極めつくした老人が沢山おります。そんな老人のお話を聞けることは、どちらにとっても、幸せなことです。

第2節　技術研究と開発、そして発明

(1) 技術研究の原理

　技術は"功罪相半(こうざいあいなか)ばする"といえる。また、目的を誤って使用すると、相手（使い手）を傷つけるだけでなく、自分も傷つくおそれのある危険なもの、すなわち"両刃の剣(もろ は つるぎ)"なのでもあります。福島の原子力発電の核分裂反応の制御不能の例をみるまでもないことです。

　技術者は、技術目的が決まった時に、開発が成功し、製品となって世の中に広まった時、使い方によってどのような問題や事故が起こるのか、日時をかけて入念に製品テストや思考実験（シミュレーション）する責任と義務を一人ひとりが負うことになります。技術者には公法条件下において自由に製品を開発してよい権利がある反面、製品によっ

て発生する問題や事故を可能な限り広報する義務がある。

　技術の研究目的が定まった時、どのような取り組み方を考えますか、その構図を述べておきます。

　技術目的のもつ核心を、総括的思考と調査から導き、鮮明にする。

　技術目的に到達するための、一般的手法と研究者独自の独創的な方法を可能な限り列挙し、網羅した方法を総て寄せ集め、一覧表にする。

　技術目的を山の頂上①とし、次に、全網羅した方法を山の麓②に周囲書きし、それぞれの研究方法に従った場合の、研究の進む過程の要点を記述する。そうして、そのなかで最良の方法の優先順位づけをする。そしてその方法のなかで最も汎自然的な方法をまず一つ選定し、研究を開始する。

　1年ぐらいで目的に到達するばあいもある。また2、3年かかるばあいもあるが、5年で完了しない時には一旦停止し、保留する。そして次善の方法か、それぞれの方法の組み合わせ③を考え、試してみる。

　技術目的に対して研究をすすめている時に、ひょんなことから、非常によいテーマが出ることがよくある。そんな時には、時間に余裕があれば自分で進める。あるいは関係

者にやってもらってもよいし、共同でやってもよい。時にはそんなテーマによって素晴らしい発明を生むことがある。

"技術目的の結果や結論が出た時の措置"

　技術目的に５年かかっても到達しない結果になった時には、社会的価値があり、他社で実現できている場合には、自分達の技術レベルに弱点があり、見落とし、抜けている技術が必ずあります。まずは徹底的に技術落度を再検討し、皆で話し合い、集中力をかけ、最善の努力を怯（ひる）まず、挫（くじ）けず、そして焦（あせ）らず、泰然自若（たいぜんじじゃく）として、毎日まいにち修行僧になりきって、さらに考え試しながら一歩いっぽずつ進めば、必ず道が開け目的に到達します。他社の研究開発者も、同じ人間なのです。諦めず自分達のリズムと歩幅でゆくことです。

　技術目的に、５年経過しても到達しない結果となったときの措置を述べておきます。

"５年かかってもできない理由は２つある。"

　１つは、研究リーダの研究基盤レベルが低く、新時代に即した革新的な自信と手応えのある資質に欠如している。

　もう１つは、技術目的に対して周辺の技術や理論との格差が大きく開いており、目的達成に利用や応用できる手の届くまでに、社会的技術水準が、到達していない時です。

　故に、研究開発者は、新時代に即した技術を把握しており、革新的かつ柔軟性ある度量の勤勉者が望ましい。

　さらに、付け加えておきます。

　会社、又は事業所の経営者や管理者は、技術開発者の選定には、一般的には次のことを考慮し、決定することです。

若い技術者に責任をもたせ、仕事の環境をつくり任せる。
歳が行った技術者に技術責任をもたせても、一般的には、
保守的になりやすいのです。

発明と価値

　発明は、特許を獲得して、初めて一人前の発明といえる。特許は国内はもとより、国外の同じ製品を販売している事業企業などが競争相手になる。言うまでもなく、時代が即要請している内外社の新製品の発明は、予想される関係各国の特許化が望ましい。

　この著書において、特許の書き方、提出、申請の仕方、拒絶の時の再申請などの対応については割愛し、他書に譲ります。

価値ある発明の評価と判定

　技術目的の研究を開始して、5年経過しても、結果が出ない技術は停止か、一旦保留すると述べた。

　何故かといえば、その一般的根拠は、特定の製品を除いて、製品の寿命は大方10年くらいで採算がとれ、次世代の

製品開発の資本が得られる経済的見通しを立てているからです。

　更に、５年くらいで製品販売がピークに達するような見込みの製品販売計画を作成することは、基本的かつ一般的な、製品生産の経営方針です。

発明と特許の取得

　技術者は、研究開発した技術の発明の特許を自分で書き、提出、申請する義務がある。発明を特許に仕上げることは、誰でも最初からできるわけがない。

　先輩に教えを乞い、まずは真似ることです。そういう先輩がいない場合には、現に自分の発明に近い特許を取り寄せて、その内容と抵触しないようにする。そして、新発明の独創的核心を他発明との弁別を鮮明にし、拒絶介入の余地がないように何度も点検し、隙（すき）がなく、かつ分かりやすい特許を作成する。

　もちろん、図、表など実態をよく描き、表し、発明の根拠となるデータを、その場で現認や観察した証拠実例や実写真があれば、より確度が高まり、説得力も強化される。

　申請し、審査官とのやりとりも終わると公報される。その時に異議申請が提出されてくることがある。それは既に提出取得されている他の同類の特許取得者からか、あるいは関係当事者などの申し立てである。

　異議内容と共に、どのような意図と関係する含みを持っているのか、充分に検討し、異議の急所をとらえた回

答書を作成し、再度疑問の余地が生じない返答をすること
となる。

(2) 技術と技術者の道

発明と特許後の技術開発

　新技術の発明は、特許をとり、製品化し、販売にこぎ着
けたとしても、社会の需要が続く限り、次々と改善や改良
がなされて、同類の新製品が、既存の特許を掻い潜り、よ
り高い品質生命力をもつ発明や特許が世の中に送り出され
てきます。

　まず大事なことは、それらの発明特許の内容を吟味検討
し、特許内容のもつ技術の方向性を目的の裏付けも含め、
読み下すことです。そうして、競争の相手がどのような意
図と将来の製品の方向性をとろうとしているのか、見極め
るのです。関係している新特許を、常に技術者は探査し続
け、製品開発の方向性をとらえておくことです。なぜこの
ような技術的態度が必要なのかは、自分の技術開発の方向
と目的を顕在化させるための基本であり、また新製品の独
創的、かつ社会的に有効な製品が生れる基盤になるからで
す。

発明や特許を取り続ける自己技術力の見極め

　人は10年くらいで一つの仕事に精通し、ある程度自己満
足し、他の人達もそこそこ安心できる製品に熟成させます。
このような技術の山や峠を約3回、すなわち30年という一

世代を歩み、迎えると、心身共に安定し、保守的世界に入ることが多い。

　つまり、若い次世代を担う人達が、
　うしろ姿を学んで頂ける道にはいったといえます。

<熟年の技術>

　なぜ、一生技術開発をつづけることが難しいのかと問われれば、次のような答えになります。

　人は生物、つまり自然の創造生命体なのです。植物、動物は総て漏れなく、生・老・病・死の道を歩むのです。

　生の世界、老の世界、病の世界、死の世界、各々の置かれた世界において心身を練磨修行し、その時の最高の味を求めるように努めるのが、人の本来の姿でありましょう。

　それは植物、動物にもみることができます。

　ものづくり技術者に限らず宇宙、自然界の創造物総てに言えます。それは、我れわれが、ビッグバン宇宙、つまりエネルギー文明の虜（とりこ）になっているからです。

　こうして、植物や動物と同じく、単細胞時代から多細胞人間になった生物として、何千万か、何億回の細胞分裂、分離を経て、大宇宙に戻ってゆくことになります。

　なぜこのようなことを言っているのかと言えば、その時どきの心身生命と共に十分な感性と心体をもって、ものづ

くりもそうであるが、事に当たることができるように調整することが、暗示されているからです。

前編終わり

ものづくり本職教典
後編
『"ものづくり"の夢と実現、ものづくり名人』

第1章
夢は何歳の頃もち始めるのだろう

第1節　人生のところどころで
　　　　思い出として出てくるような夢

　人生のところどころで思い出されるような夢は、幼少時期の乳離れの３歳頃から始まるとみられる。そうして小学校に入る前後から、５、６年生に至る間の夢は一生残ることが多い。夢の切っ掛けは、家族のなかで年齢に応じて割り振られ、分担し、高年齢になるにつれて分担事が変わってゆく、その時々の体験が大部分を占める。

子供には歳相応の家事を分担させ続ける
＜人生の夢の発露＞

　自分の仕事や人生のなかでの夢は、ほぼ体験から出てくるといえる。頭で考えたような思考としての夢はほとんどが消えてしまうか、理想世界の夢になることが多い。

『夢の発露の起源は、体験の中の不思議さ』

> そして
> 不思議さに対してもった
> 感動、感激、強く気になる疑問が

心の深部に格納された時

長い人生に亘って残存する

第2節　夢に残るような夢の素因

　夢は根性、修行、訓練による人工的、あるいは知識など、形而下の経験知から発現することは稀で、自然現象や自然的体験が夢になるといえる。いわゆる形而上の体験智が大部分を占めることが多い。

　"一瞬といえども、人は宇宙・自然より美しい景色をみたことはない。"

『もちろん、一瞬の美しい宇宙・自然以上の美しさを、

　人は人工的につくることもできない。』

第3節　幼児期の宇宙・自然体験は
　　　　一生心身に刷り込まれる

　まだ知識も智恵もない真白な幼児期に、美しい宇宙や自然にじかに触れさせて、手や足、五感をも使って体験させる、そんな時期は小学校3、4年生くらいまでのほんの短い、いっ時なのです。

　たとえば人間は、中学生頃から20歳前後のあたりの思春期に、いろいろの問題を起こすことが多い。それは人間が大人の脳に成長するのが20歳頃になるため、身体とのバランス（調和）がとれていないためと言われている。このよ

うな思春期心身の不安定な時期に、たっぷりと宇宙・自然の美しさを味わわせるのです。そうして、脳の発育に、自然循環の細胞やホルモンに、創造主の刺激を与え、人の37兆個の細胞の健康な発育環境を促すのです。

　そのためにも、知識や智恵もなく、もちろん体験や経験が心身に刷り込まれていない時に、宇宙・自然の偉大さや美しさがわかっていないこの時期にこそ、無限というような美しい景色を、思春期の始まる前の育児期に、感得することが大切なのです。

　そうして小学校３年、４年頃に成長してくると、宇宙・自然現象に対して、いろいろなことを親・兄弟などに聞いたり、質問するようになってきます。つまり『自我の芽生え』です。

"自我が芽生え始めた時"

　いよいよ自分の周りのことに疑問をもち始めたのです。そんな時期により多く自然に入ってゆきます。同時に、少年や少女時期に見合った家事や仕事を分担させ、続けさせることになります。

　失敗をしょっちゅうするでしょう。仕事始めは一緒に始めてやり、しばらく様子をみながら、少しずつ手を引いてゆき、お節介にならないうちに任せます。それでもいろいろ甘えられたり、手助けを頼まれるかもしれません。が、すぐに手伝ったり、教えたりせずに、ヒントや考えることを仕向け、直接に手出しすることは可能な限り避けることです。

第4節　自我の芽生えから『事』を考え、解決し、
　　　　自立の道へ

　家事や仕事を分担してから暫くの間は、毎日続けている姿を、遠くから見ず知らずのような態度で注目し、見守ることです。うまくいったことをいちいち褒（ほ）めないで、静かに冷静に見守ることが大切です。嬉しい時には胸がふくらみ、人に話さずにいられませんから、身近なやさしいあなたに、必ず喜びを話します。事の成り行きによって、うまくいくこともあろうし、失敗することも多々あることが、人間の証しであり、当たり前のことです。

　人によっては、可哀想（かわいそう）で、ついつい手を出してしまうような大人がいるかもしれませんが、致命的というか、緊急事態に陥りかねないというような状態に立ち入らぬ限り、見守り続けることが大切です。ということは、

"大事の前の小事"

　という、小事を沢山体験させ、本格的に自立した時に、事の成り行きを見届けたり、予測することができる能力をつけ、大事を回避し、事故（含トラブル＝混乱）や災難を未然に防止する能力をつけることになるからです。

『事を考えられる能力とは』

　端的に言えば、一つの事を始め終わった時に、その人が使い始めた時と、その仕事の場が同じ状態になっていることです。わかりやすい日常的な例を挙げましょう。

実例

　洗面所で歯を磨いた時の例で述べます。洗面所を使い、水しぶきがびしゃびしゃに飛び、そのうえ、汚れたまま立ち去ったとします。次に使う人は、汚いと、まず感じるでしょう。人によっては、前使った人がエチケット（＝その場にふさわしい状態）として、汚れを拭き取るべきところを、次の人が清掃してから使うことになる。

　即ち、前の人の仕事が完結していない分、次の人が仕事の負担を負うことになる。即ち前後を通して、一貫した仕事が完了できていないのです。

"少年・少女期の体験と自主の芽生え"

　自分はどういう人間か、そうしてこれからの人生をどのように生きていったらよいのだろうか、と朧（おぼ）ろげながらおおよその事を考え、まあこんなところから始めれば、とあれやこれや考え、思うのは、中学校の３年生頃に、うっすらと出てくるのが一般的な姿であろう。

　もちろんその考えは、多くの選択肢が含まれ、かつ柔軟性に富む可能性が高いほどよい。というのは中３の頃になると直近の課題として、高校、大学、大学院というような道か、あるいは特定の腕をもつ職能の道に進むのか、というような人生における第一段階の道の選択に迫られる。しかしながら現代の社会においては、その道を選択したからといって、決して乗り換えられないような、柔軟性に乏しい社会システムではありません。

　また医療や社会福祉態勢もそれなりに整備されている。更に、人生のどの時期においても、学校や大学、大学院の門戸は国内・外共に開かれているので、決して堅苦しく考えることはありません。

　少年・少女期の最も愛くるしく美しい時に、父や母、そして兄弟と共に、家事や仕事を手伝い、そうして、たっぷりと自然に親しんだり、いろいろ自然に対して仕掛けをして、多種多様な体験をすることが大切です。なぜそうするのかと問われれば、人生のなかで最も無垢な心身と、体の匂いまでも甘い匂いがするこの純粋な時期に、自然の偉大さや自然の恵みの有難さを体感することによって、一生のものとなって、いろいろの人生の礎（いしずえ）になるからです。それは、宇宙・自然の創造力に勝るものは存在しませんし、宇宙・自然があってこそ、人類はもちろんのこと、生植物が存在しているからです。

　しかしながら一方において、少年・少女期の大事な時期に、学校教育はもちろんのこと、学習塾やいろいろの稽古ごとがあるので、宇宙・自然にたっぷり馴染ませるような時間を取りにくい、という意見が返ってくるでしょう。

"人として生まれた稀な誕生の幸せは何でしょう"

　人は、人として生まれ、何も分からない自分がまずあります。

　人は自分が、どんな性格の人間で、どのような能力を持って生まれているのかを、知るには相当長い期間かかる人も

いますし、早い人では20歳前後には大体のことがわかる人もおります。自分を知る切っ掛けは、孤独というようなことではなく、一人になり、宇宙・自然の音、匂い、触れる、なめてみる、そうしてよくよく眺め、観察するような体験を充分に味わうような機会をもつことです。自然のもつ神秘性や圧倒的な現象や風景にふれあう、それを少年・少女期の無垢な心体にたっぷり吸い、味わうような機会をもたせることです。腕時計をもって、時間を制限するような機会の与え方は全く無意味です。

　一人ひとりの感受性はみな違います。早熟な人もいれば、長い期間かかる人もおりますから、充分に見守ってやればよい。もちろん機会の与え方も一人ひとり異なりますから、その人にあった期間が望まれます。そうして青年期から壮年期へと歩んでゆくことになります。

　学校や大学教育は、人間が宇宙・自然からとり出したほんの一握りの情報を知識とした形式的な人工物なのです。知識は人間世界のみに限られた事であり、そのまま全く違和感なく宇宙・自然に戻ることはありません。戻すには、必然的に内・外乱が発生します。つまり人工物と自然とのエネルギー格差相当の自然撹乱が発生します。

> 人間が自分を知るということは、宇宙・自然の
> なかで生存してゆくためにと、人間が生命を維
> 持してゆくためにつくり出した人工物とのエネ
> ルギー格差を、人間としての自分に合う道を導
> き出すことにある。

　上記のことは、少年・少女期の『鼻汗を可愛くかくよう
な時期』に、機会をうまく取り、味わわせ、体験させると、
人生の一人生に亘って、深いところに染み込み、何かの時
に"ほのぼのとした幸せな思い出として甦ってくる"こと
になります。

第5節　生命を授かり、少年・少女期が
　　　なぜ人生の根本なのか

　人間は、138億年の宇宙史のなかで、ほんの束の間の
稀な存在として、かつ生命を与えられ、神秘というか文
言では表せないような賜ものなのです。今日の一日は、
（1/13,800,000,000×365）日、という貴重な一日です。

　そんな宇宙・自然の創造として授かった賜ものは、まず
自分は何ものなのかということを知ること、つまり宇宙・
自然における『自分の存在をよくよく自覚する』ことです。

①乳養時期、幼児期、少年・少女期に十分に自然に馴染ま
　せ、興味をもたせる。

同時に、

②幼稚園、小学校、中学校における勉学も無理強いせず、基本的に修得させ、標準的学力を修得させればよい。

　上述の①、②が、なぜ人生の礎なのか、それは人生の歩む道を導いてくれる夢や、こう成りたいとする希望などの目的を、朧げながらも自覚させもたせることになるからです。

"少年・少女期から青年期へ―人生の岐路"

　ひとそれぞれに様々なのです。中学校から社会に出る人、あるいは専門学校や、高校、大学へ進学するひともあろう。

　どの道を歩もうとも、自覚、つまり自分が選んだ道を謙虚、かつ虚心坦懐に焦らず、一歩一歩すこしずつ進んでゆけばよい。

　喜びや幸せを感じるのは、一瞬かもしれない。人は、老若男女、みな同じような感じ方をします。また人によって五体：頭、首、胸、手、足が健全な人もいれば、そうでない人もおります。動物や植物についても同じことが言えます。授かった賜ものを大事にして、一日いちにちを、一歩、一歩修行してゆくのが人生の存在なのですから。

　ここまで、つまり中学校から自覚した自立の道へ歩む時期が、人生の社会に出る保育時期（Social Incubator）といえるでしょう。15歳から20歳にかけては、中学から社

会に出る人もいるでしょうし、専門学校や高校・大学に進む人もそれぞれの道を歩むことになりますが、この時期は選んだ道に対して、しっかりと勉強し、学問の基礎を十分につけることです。

　人に生まれて、皆一人としてこの時期はいやだったなとか、苦い味の灰色の時代だったなど、人びとみな同じような印象をもっています。しかしこの時期の勉強のお蔭で、人生の時々に発生する問題を解決する思考力と体験力がついているのです。

　というのは、この時期には途轍も無い創造力というか、インスピレーション（思いつきの発想）が出る最も感受性豊かな多感な年ごろであり、思考力も高まる頃なのです。この時期こそ、身体も心も鍛える苦しみという人生修行の第一段階なのです。

　他人との関係ということではなく、①自分の知的能力、②自分の創造能力、③自分の身体能力、そうして①、②、③を総括して、自分が今とりつつ歩み始めた道における①、②、③の発動力を整合させてゆくのです。

第6節　少年・少女期から青年期へ
──保護の器から社会の器へ──

　第5節で述べたように、朧げながら自分という人間がどのような①、②、③の能力を持っているのか、少しずつ解ってくればよい。①、②、③だけが能力の指標では、決してありません。つまり、①、②、③のような概念よりは、

人によっては、直接に具体的なことに興味がある人がおり
ます。それは①、②、③のどれかの範疇に入っているので
すから。それが少しずつ分かり、明らかになりながら、親、
兄弟、友人、先・後輩など（良く信頼できる人）によく説
明し、意見をいただくことです。メモ帳、あるいは人生ノ
ートによくメモを取り、少しずつ整理し、纏めてゆくので
す。

　そうして、利害や損得などを全く考えずに、だいたいこれ
だと定まった興味ある具体的なことに取りかかることです。
もしも興味のある対象の知り合いや手蔓がなければ、イン
ターンシップ（無給の見習い）、アルバイト、ハローワーク
やインターネット紹介、NPO法人や自治体の相談窓口など、
いろいろの窓口がありますので、そこで紹介を得て、一定
期間の修行にいどみ体験をすることです。

　ここで大切なことは、修行ノートというか、社会窓口体
験ノートのような控え帳（ノートでもよい）を作っておき、
いろいろメモをして、毎日まいにちまとめ、記してゆきま
す。

　こうして自分が朧げながら考えたことや、具体的に興味
をもったことに、いろいろな手蔓をとりながらインターン
シップや修行にいどみ、体験をすることになります。人に
よっては社会に巣立ち、自分がこのような仕事をしたいと
いうような希望か、あるいはそれに近い道に就職する人も
いよう。乳幼児、幼児期、少年・少女期を経て、いよいよ
社会との接点の窓口に至り、青年として社会に入ってゆく

ことになります。

　人は、生命の長短に若干の差はありますが、いずれも生、老・病・死の道を辿ります。生命を授かった最大の賜ものは何でしょうか。社会や人のためになること、と人は一般的には、そう思うことでしょう。

　しかしながら、社会や人のためになること、と言いますが、それは皆そのように思い、考えていますが、それは人の評価を伴う結果なのです。また人によっては、何々のためということは、心の重荷になり、苦痛を伴うことさえあります。

> "生命を授かった最大の賜もの"は、
> それは『いまという、いっ瞬間、いっときを
> 大事に自分の仕事に励むことです。』
> 過去とか、未来はありますが、確実に自分の生
> 命が存在するのは、今という、いっ瞬間のみで
> す。

　今、生きている命で、仕事をしているいっ瞬間がある。過去ができ、存在痕跡がうまれているのです。同様に今生きている命で、未来にこのような仕事を成し遂げたいと思い、考えて、今このいっ瞬間の命で仕事をしているから、未来の仕事が生まれていくのです。

　くどくどと何度も書きました。いっ瞬間の仕事こそが、人や社会と繋がり、社会や人のためになっているのです。いっ

瞬間いっときに自分が行っている仕事で、社会や他の人と繋がりのない仕事はありません。

　これまで述べてきたような時期において、それぞれ、その時どきの生きている様態に応じた受動的、そして能動的な生命の過程における体験を獲得しながら、青年期に社会人として、ついに社会の一員になっていくわけです。

　青年期から壮年期へと、人生の花道に入ってゆくことになります。花道から本番となる社会という舞台に、いよいよ入ってゆくことになります。

第2章
ものづくりの夢と実現

第1節　就職した職場の自分の初心

『職場』

　社会に巣立ち、職に就く、新入者として一連の行事が済みいよいよ現場にはいる。新人として3、4ヶ月頃になると、自分の仕事の中味と範囲が分かり、周囲の人達との連携もとれるようになってくる。

　毎日おなじような分野の仕事をしているうちに、半年過ぎる頃になると、日々の疲れもそうそう感じなくなる頃になります。そうして自分達のおかれている職場全体をながめて、いろいろ考えるようになっています。

　たとえば、自分はこの職業を生かして、同類の職に就いている世の中の人びとと、どのような関係をとろうか、という即ち日本の中において、それなりの仕事師になるとか、いや語学力などもつけて、世界の同類の人達と混じり合って、それなりの目的を達成しようかなどと、いわゆる夢が出てくる。

　少なくとも、仕事に直接関係するようなことであろうと、なかろうと何か興味が出てくることになる。自分が好きなこと、あるいは関心があることを少しずつ始めてみるとよい。

　すると、職場の仕事に少しずつ余裕が出てくることになる。職場の仕事が好きで、その職につくような人は稀な人で、ほとんどは関心がなかったり、好きでもないことをやり始める人が、多いといえます。それでも人間とは不思議な生きもので、我慢しつつでも続けていると、自分なりの仕事のこなし方をつくりあげる能力をもっているのです。それでも仕事に馴染めない人は、我慢ができず忍耐力の水準を超えられない人か、全くその職業にむいていない人なので、転職ということになろう。

　しかしながら、どんな職業に就こうとも、大なり小なり前述のような迷いの経験をもたなかった、といえるような人は稀なひとです。どんな職業でも続けてやっているうち、いろいろな工夫が生まれたり、仕事仲間から教えられ、あるいは教えたりしているうちに、初心の中の仕事の中に、あるいは興味の中に、おぼろげなりとも夢が生まれてまいります。

第2節　ものづくりの初心の頃の夢

(1) おぼろげな夢

　実現するかしないかわからない、あるいは夢とまでいえないような何かに関心や興味をもてるか、持つように、少なからずなるだろう。人さまざまですから。

　そうして、職場の仕事のなかに、いろいろ工夫をしてみることです。工夫は"考えながらものづくりをする"第一歩になるのです。

　工夫は、自分の個性から発するわけですから、自分の意識、すなわち記憶となっている知識が商品や製品の中味になるわけです。商品や製品とものづくりとの間で、このような工夫のやりとりを繰り返し、続けているうちに、商品というか製品全体のものづくりに、そんならこう工夫し、別の方法のものづくりをしてもよいのではないか、と考えるようにもなる。つまり、改善や改良を提案することになる。

　以上のような工夫の芽生えから、改良・改善、そうして別の方法によるものづくりということの発現は、日々の小さな工夫の積み重ねが、自分の心を形として現れてくることになる。ささやかなほんの小さな夢かもしれない。しかしながら少なからず、自分の心から発現することにはちがいない。

　人は大きな夢を描き、それが実現することが幸福なことと思う。しかしながら、それは若い意欲的な時にこそ、そうなるものです。徐々に年齢と共に、大きいとか小さいとかということを超えて、いっ瞬間、いっときの感激や感動に幸せを感じ、深々と味わうようになってまいります。

(2) ものづくりの夢

　商品や製品ということは有形無形の違いであり、企画、設計、技術による対応は、ソフトウエア（思考的手法）、ハードウエア（物質的手法）の投入によることには違いはないことであり、単にどちらかに軽重が生ずることに過ぎない。

　社会に出てから夢になるようなことは、主に少年・少女期

に体験した家事の手伝いや、その時期に体験した自然のなかでの遊び、更におじいさんやおばあさん、あるいは大人達から聴いた話、並びに絵本・物語などから最も強い影響をうけて繋がっている。夢はその瞬間にはとてもできそうにもないようなことで、できたら「うれしいな」と思うようなことであろう。またこのような身近な夢に対して、現実には到底不可能なことで、立派なことは勿論のこと、みんなが呆気に取られてしまうような夢は、大きな夢ということになることもあります。

　職場の現場の仕事の中に、時と共にしだいに工夫がふくらみ、ふくらんだ工夫が夢に変わるようになる。当然、夢に縛られて仕事を進める本末転倒のようなことでなく、単に「できたらいいな」と思う程度の思いのことです。

　大切なことは、意識的に常に夢をもつというような苦しい持ち方ではなく、仕事本来のものづくりをしながら、工夫したり、少々の遊び心を内面にもちながら、よい意味のマイペースで創意工夫してゆけばよい。この創意工夫こそが、小さな夢の芽生えなのですが、いま手元でやっている「商品や製品」の本来もつ本質を損なうような工夫ではなく、本質がより優れた本質になるような創意、それこそが小さな夢であり、嬉しさを伴った小さな幸せにつながります。

　このような仕事と、工夫とそして夢へと、来る日も、来る日も繰り返し、手元の仕事を進めてゆき、一つの技術を生んだり、発明し、特許にしたり、少しずつ仕事の実をあげ、ふやしてゆきます。もちろん機会があれば、あるいは周り

の者にも相談し、自分なりに機会をつくり、世の人びとと
の交わりを増してゆきます。即ち、社会や世界に通じる情
報の出力や入力をとるようにするのです。もちろん、社員
や職業人として組織の許可を予めとってからのことです。

> 自分の仕事と、世のなかでおこなわれている担
> 当の仕事の関係情報をとり、社会の中における
> 繋がりをつくる。

　大学や大学院の聴講生になるとか、学会の会員になり講
習会に参加する。あるいは専門的な協会など多くの窓口や
学びの場がありますので、自分と社会の結びつきをとるこ
とです。

第3節　ものづくり夢の実現
(1)　ものづくり夢の実現を目的とするな

　端的に申し上げましょう。ものづくりの夢を実現しよう
という夢をもつことはよい。しかし夢を目的とすると、仕
事は"夢の虜"になってしまう。そんな仕事の息遣いは呼吸
が浅くなり、しなやかなのびのびとした余裕もなくなって
しまう。まずは、自分の自然態勢をもって、日々の仕事を
工夫しながら精進することが基本で、それを来る日も、来
る日も続けてゆくことです。

　更に、本格的に納得できる自分流儀の仕事の新世界を創
造する喜びのためには、他の人達よりも、2倍も、3倍も仕

事に関する勉強はもとより、世の一流のものづくりプロの手法を自分流に仕立て直しをして、その方法を凌ぐ自己流儀を独創することです。このようなことを簡単に述べていますが、そう短期間に到達しようなどと思わずに、現場で与えられている仕事を充分に果たしつつ、余裕ある時間を少しずつもち、仕事の内容充実と同時に世のなかで同じ仕事をしているものづくりの最高の商品、又は製品及び人達との比較検討をすることです。

> 自分と同じ商品や製品について、世のなかで最も高い評価をえているものづくりの本質の技法を、徹底的に分析する。

　つぎに、最高ものづくり品^{ひん}の技法を、自分なりに試行する。

　何度も繰り返し、完成できるまで続ける。勿論、試行中に自分なりの工夫もあるが、それは完成するための工夫でなければなりません。もちろん唯我独尊というような次元でないことは当然です。完成に手間取る時には、内外の専門家や関係者に徹底して聞き、確度を上げてゆきます。繰り返しつつあせらず自然体のまま以上のことを遂行してゆけば、必ず到達します。

　感受性が高く、野生的本性がまだ残っており、徹夜もでき、心技体が最も充実している25歳頃から35歳頃が、次々

と新機軸を打ち出せる時なのです。勿論自分自身で直に手をくだし、自分で次々と実現してゆくことができる時代なのです。

　このような自分の最も良い心技体のバランス（調和）とリズム（仕事と自分の心の間合いのとり方）をとりながら、常に健康な心体を、うまく自分流の仕事のこなし方で歩んでゆくのです。多分このような時期には、ほんの小さな夢が一つ一つと実現してゆくことになります。当初からきっちりと夢を目的としなくても、いつの間にかそういうことになっているのです。しかも自分で気づくとか感じるとかではなく、自然に夢、あるいは夢に近いことが実現されているのです。

　あとになって振り返ってみると、「何とまあ」とある時に分かって、何といってよいのか、ほのぼのとした心の温み（ぬく）が胸にこみ上げ、熱くなることがあります。

　ここまでの話を進めてきましたが、自分の基盤となっている自分の本質を知るには、何事によらず繰り返し、ただひたすらに自分の仕事を行ってゆくことだ、と述べているのです。それもほんの先の、手足作業の仕事を考え、できれば工夫もすこしずつしながら、なるべく失敗せずに設計通りのものをつくり続けてゆく。なぜ、このような一般的な手法をとるのか、と問われれば、自分さがしをまず第一にすることになるのです。自分の『仕事の得意の取り組み技』を会得（えとく）するためです。

　たとえば、①体力がある、②意志力が強い、③忍耐力が

187

ある、④頭がよい、⑤独創力がある、……など何か自分に備わっている性質があります。この個性というか属性を、仕事のなかで生かせるところがあれば、ものづくり商品や製品の本性を失わないように注意して、自分の独創を工夫しつつ、付加してゆくのです。これが正（まさ）に、小さいと言えども夢の実現なのです。

> 『一廉（ひとかど）の人物』は生まれた時からでもなく、ある時突然、ひとかどの人物になったわけではありません。

　超一流の人物になることを目指しても、皆そうなるわけではありません。

　つまり、一廉の人物とは、“自分の味を引き出して、会得していくこと”です。そうしてとことん、どこまでも根気よく、ねばり続け、いい足跡（あしあと）（そくせき）をのこしてゆくことなのです。

　一廉の人物は、まず努力の人なのです。「一生懸命仕事に打ち込む」、「しつこく仕事を続ける」、「諦（あきら）めず仕事を続ける」、そうして、「欲をかかないこと」、「食べ物に気をつけること」などで本性に合う、“不変のスタイル（態勢）”を無意識の基本技とすることにあります。

　こうして、自分の基本特性を生かし続けていると、一般の人びとができると同じような仕事を、2倍も、3倍もの量をできるようになる人がいます。あるいは、人と同じ量の

仕事をこなしていても、2倍も、3倍も味のある、そうして、より根本的な真理に近づくような、大きな創造的空間を包含するような新商品や新製品への窓を開くような仕事をする人もおります。こうして、ただひたすら歩み続けてゆくのです。悟りを開くとか、真理に到達するとか、いろいろ人は言いますが、その人びとも毎日繰り返しながら続けているのです。

　それゆえ、悟りとか真理も、どこまでも変わってゆきます。人は、それは違うのじゃないかと思うでしょう。悟りも、真理も、それは秩序なのです。例えば、原子の発見は一つの真理ですが、原子は電子と原子核からなるより一歩先の真理（秩序）なのです。更に言えば、この真理は、素粒子という、さらに一歩先の真理（秩序）の発見ということになり、どこまでも続いてゆきます。

第4節　一道は万道のものづくり
——宇宙・自然のものづくりへ——

"創造主の道"

　脇目もふれず、ただかたくなに、一本のものづくりの道を歩み続けるという意味ではない。ものづくりという土俵のなかで縦横無尽に、心技体のよいリズム（律動）とバランス（調和）をとりながら、関連する世界の情報や人的交流をどんどん実行し、ものづくりに反映させてゆくのです。一道といえども、世の情報はもちろんのこと、人びとの教え、教えられることは、世の網目に総てつながっているの

です。

　人は、専門家とか、プロとかを一面的にとらえているように
みることがありますが、たとえばもしそうであれば、暫
くの間話をきいていると退屈になります。

　専門家は本来、大山に譬えることができます。人類が拓
いてきた知識や智恵の総合である文明・文化・芸術などの
礎をしっかりと築いた基盤があり、しかも今日をも、只管
に精進を続けている人を言います。

　しかも今をも日々、世の動きを把握分析し、その行く末
を総合的にとらえ、続けているひとです。それゆえに常に
斬新な知識と、創造的な智恵をとりつつ歩んでいるのです。

　しかも、ものづくりに関連することも内・外から沢山の問
い合わせややりとりがありましょう。さらに専門と関係す
るかどうかもわからないような事柄にまで、対応すること
もあろう。ここで何を言いたいのかと問われれば、自分が
やってみたいと思うならば、是非やってみることです。自
信がない、これまで経験しなかったことも実施することで
す。しかし前述してきたような経験は、すでにものづくり
の総合力がついていることなのです。受託し、実践してみ
ることです。必ず異分野の新しい仲間が現れ、助けてくれ
ることがあります。別にそのようなことを期待したり、想
定して実施するようなことは一切必要がありません。謙虚
にその道の先達に礼を尽くして、その教えを学ぶこともあ
りましょう。一般に言われる"何でも屋"というような専門
家ではありません。本来の学識が手薄になり、ややもする

と中途半端になってしまうのではないかと思う人もいるで
しょう。そういうことを考えるような人であれば、まだそ
のような途中の段階に在るのです。

　新しい領域というか、世界を拓くということは、常にそ
のことを背負ったうえで、切り開いてゆくのです。礎とい
うか、土台という自分の本質は、栄枯盛衰であり、生老病
死の流れと表裏一体で推移してゆくのです。

　勿論、人間は人間として生き行くという根本は変わりま
せん。年齢と共に変化してゆく健康の維持というか、手当
てをし、対応する礎、土台の保守、点検や診断が加わる土
台作りを継続することになるのです。

　こうして人は汎自然的な生命現象をより深く、味わい営
むようになってゆくのです。

　結果として、ものづくりという専用の一道を歩み続けて
いると、余裕が少しずつ出るにつれて、近景を眺め、ある
いは立ち止まって遠望しつつ、自分をとり巻く世界が世の
中全体につながっていることがわかってくるのです。人は
網の目の節点から節点へと、人はもとより、宇宙・自然の
すべてにつながっている自分なのです。宇宙開闢は138億年、
そして地球誕生約46億年のつながりの中に人というか、万
物が存在している。この圧倒的で、かつ神秘的な宇宙・自
然存在の証しが、創造主によって賜っている人という生き
ものなのです。

　我われ人類は、創造主がつくってくれた人という生物と
して、何ら無駄なく、自然循環を断つような、即ちエネル

ギー準位を上げるような仕組みをつくらずに、ものづくり
を創造することは現時点では不可能といえます。

　少なからず人間のものづくりが、創造主が成すようなも
のづくりに一歩でも、少しでも近づければ、より宇宙・自
然の真理に近づけるのではあるまいかと思っている。

　と思うことは、人の成り立ちをみれば、物凄い万能才能
をもった創造主がいることがわかります。どうして、卵子
や精子が地球上に授かったのかはわからない。しかし、卵
子という細胞から始まって、精子細胞を得て、37兆個の細
胞に至るまで、一つの手抜かりもなく、五臓六腑は言うに
及ばず、頭・手・足・胴体・骨・肉・皮膚など総て、漏れ
なく機能と構造に、誤作動の余地なく創りあげられている。
不思議なこときわまりない。

　比較の対象とすること自体失礼とは思うが、人間のもの
づくり商品や製品の人工物は、自然準位以上のエネルギー
を使わないと全く動きがとれない。ところが、人の創造は
卵子細胞から始まり、精子細胞との合体によって、37兆個
の細胞をもつ人間になるまで、総て宇宙・自然エネルギー
の水準で推移している。

　この神秘に、少しでも近づいていくようなものづくりの
道が、いま求められていると思う。即ち、科学などの手法
で発見した真理、つまり新秩序を上記のような考察にもと
づいて組織化し、より高位の新秩序体系をもつ組織的技術
品を創造していくことであるまいか、と思っている。

第3章
ものづくり名人——実話——

第1節　夢が湧いてくる

　ものごとの筋道や道理、いわゆる辻褄が合わないような、眠っている時にみるような、いわゆる夢のことではない。

　小学校に入る前後から、小学校の4、5年頃は、ほんとうに遊びがおもしろくて、遊びそのものの世界にとっぷりと入り、なりきってしまう。そんな頃、次から次へと夢を見、すっぽりと夢の世界に入りきりになってしまう。その一例をひいてみます。

　　　○笛吹き童子（1953.1.5〜12.31、月〜金、午後
　　　　6：30〜45）
　　　作詞：北村寿夫、作曲：福田蘭童、歌：みすず児
　　　童合唱団
　　　○紅孔雀（1954.1.4〜12.31、同上時間）
　　　作詞作曲：同上、歌：井口小夜子

のNHKラジオ放送の新諸国物語を、5球スーパーという最新のラジオで、雑音が入った掠れ混じりの放送を大黒柱に寄りかかって真剣に聴いた。毎日この時間になると遊び途中でも切り上げて、家に戻ってきた。今でも「ヒャラーリヒ

ャラリコ、ヒャラーロヒャラレロ、不思議な笛だ、……」
とか、紅孔雀の「まだ見ぬ国に、住むという、紅きつばさ
の孔雀どり……」という歌を、知らず知らずのうちにうた
っている時がある。

　翌日には、早速笛吹童子や、紅孔雀の主役、那智小四郎
になりきって、村や小学校の友達と山の中に入って刀をつ
くり、腰にさして、チャンチャンバラバラの切り合いの戯
れ遊びとなる。

　ラジオ放送なので、よりみなの想像力が豊かになり、あ
あでもない、こうでないかと、いろいろ動作や仕種をかえ
るから、遂には腹をかかえて笑いころげてしまう。物語そ
のものの世界にすっぽりと入って遊び呆けているのだから
本当におもしろかった。

　さらに少したつと『赤胴鈴之助』が始まった。主役の鈴
之助は、北辰一刀流を師匠の千葉周作から学び、愛弟子で
達人の域に達していた。ある時「真空切り」という凄い秘
剣をもつ竜巻雷之進が現れて、果たし合いをすることにな
った。

　いわゆる刀を回転させて渦流を強烈に発生させ、ある瞬
間に太刀合う相手の身体に、たとえばつむじ風の発生源を
転移させ、いわば「鎌鼬」を起こさせる。

　遊び友達が「カマイタチ」になって、血が流れていない
のに、知らない間に傷口があいているのを見たことがあり、
「うわ、恐ろしいことだな」と思っていた。

この痛みを伴わない傷口ができる「鎌鼬」、このことが後に金属の加工を、原子の移動がなく、かつ大気中で酸化膜を発生せずに加工を行う発見と発明に飛躍する。つまり、不可能と思っていた朧ろげな夢が、後に実現する大きな発明を生むきっかけになって、つながっていたのであった。

また農家は、春と秋が四季の中で最も忙しい。少年の頃農繁期休暇があった。当時の農業は、牛や馬の動力を借りて作業し、今日のような機械は全くなく、人力主体で、朝早くから夜遅くまで働いた。小学生の頃家畜の世話当番をしていたので、朝や夕方によく餌となる草刈りをした。また稲刈りや麦刈りなども手伝った。

そんな時、砥石で鎌を砥いだり、よく切れるとか、切れなくなったとか、即ち切れ味が変わるということなどを、いろいろ経験したものだった。仕事を手伝いながら、この金属の刃物の中身はどのようになっているのだろうか、顕微鏡を覗いて観るとどうだろうか、などと思い、夢を抱いた。このような夢が、就職後に少しずつ仕事として携わることとなった。勿論、前述のような夢のみではなく、他にもいろいろな夢をえがいていた。

第2節　仕事人に育てられる時期

一つの職に就いて、迷いばかりが次々と生まれたり、いつまでも仕事に対する疑問がぬぐえずに、興味も余り湧いてこない日々が続くようであれば、再考の余地があろう。

しかしながらそれは、職に就く前によくよく吟味し、調査してから意を決しているならば、転職するようなことはほぼ避けられる。

　職場に入り、初めから楽しく、興味が次から次へとわいてくるような、そんな底の浅い仕事は本格的な職務とはいえない。努力に努力を重ね、辛いとか苦しいとか、自分の能力を疑ったり、どう解決したらよいか、興味もわいて来ないなど、来る日も来る日も続き、迷いの道が続く。職をもつと、必ずと言えるほど、このような道を歩むことになる、と言っても過言ではありません。

　このような道は、自分を心技体にわたって鍛え、自分のためもありますが、世の中のためになるような仕事人になるための、新世界対応の道場に入門し、修行期というか、生育期に入った証しなのです。

　暫くこのような時期が続き、ひたすら努力を重ね、他の周りの人達にもきちんと挨拶し、明るくせっせ、せっせと働いていると、徐々に周りの人達から、自分より先に声を掛けてくれるような人が現れてくるようになります。こうした道を歩みながら、次第に関係者から、そうして職場外の人びとからも声をかけられ、あるいは労いの言葉をかけてくれるような人も現れてくるようになる。「人は、努力の継続は力になる」とよく言いますが、そのとおりなのです。こうして少しずつ実績を積み、そして重ねつつ、世の中において自分と同じ仕事をしている人や協会などが、沢山ありますから、そのような人達と接触してゆくことです。偉

大な業績をもつ人、最前線で厳しい技術の開発に挑んでいる人などの講演や話、あるいは挨拶したり接触などの機会を少しずつ得てゆくのです。

　そうしつつ、何年も何年も努力を続けていると、立派な業績をもつ人、あるいは皆から実力や人格を認められている才能豊かな先達者から、声をかけていただけるようになってゆきます。勿論そのような先輩に学び、ならうことによって、より自分の内面も充実してゆくことになります。このような心のやりとりや意識されたことの証しは、自信にもなり、成長させていただいていることにもなります。

　こうして、５年、10年、20年と続けてゆくと、やがていつの間にか、世界的に偉大な業績を築いた人、あるいは同分野の最前線で厳しく未踏の技術開発に挑んでいる人達と、交流が生まれるようになります。そうして激励の言葉をいただいたり、虚心坦懐に解りやすく、議論や討論の相手になってくれるようにもなるのです。

　そうして自分自身も、人類未踏の課題や難問題の道に知らずしらずのうちに歩んでいることがあります。大それたというようなことを「余り強く意識するようなこともなく、できても、できなくてもよい」というような程度のこととして、楽な気持で進める自然体の歩みになっている。こうして、同僚や仲間の研究開発者と仲良く、楽しく、興味事を話し合いながら継続していく姿勢が大切ですし、そうなっております。

　こうして、いろいろな意見が出てきたり、普通には考え

られないような閃き、あるいは失敗からとんでもない現象
が現れ、成功への引き金を引くこともあります。

　このような状況が続き、マイペースで皆と共に健康に気
遣いながら進めてゆくと、多方面からいろいろな話が届い
たり、次々と訪問を受けるようになり、指導依頼や講演など
も頼まれるようになります。内部も含めて外部からの訪問
や話を受けるようになることは、まさに宝物を運んで来て
いただくことと同じことですから、ほんとうに有難いこと
で、丁重に応対させていただくことになります。こうして
本務の仕事を続け、大切なことも遠慮なく、時機を見なが
ら公表し、より広く、深くものづくりの一般化を図ってゆ
きます。このような姿勢をもって対応し、進めていると、
諸外国の専門書に掲載されたり、引用記事として記載され、
世の中に広く知らされるようになります。

第3節　夢の正夢⇔ものづくり

研究開発の創成と創案者

　どのような組織でも同じことが言えますが、ある研究開
発課題を創案し、達成可能になるためには、清廉、かつ高
邁な人格者、そして核心の据わった、有能な起創者が求め
られる。今はもう残念ながら天に召されてしまったが、立
派ゆえ実名をあげると、安倍さんという県工技センター長
の手腕によって成功したと言っても過言ではありません。
以下に実践例を挙げます。

中核技術の存在

　経産省NEDO（新エネルギー産業技術開発機構）の地域コンソーシャム（研究共同体）の実施団体に応募し、全国で12事業団体が選定され、助成総額約3億円程度が配分された（1998年）。

　課題の必須条件は、当該地域の先進的、かつ充分な実績が課題中枢に存在することであった。創案者を中心とするメンバーは、多角的な調査分析から、日本で唯一創始し、かつ時勢要請の強い希望があるＩ大学のH. E. 教授の超磁歪材料（ちょうじ）とそのアクチュエータ（自律的に入力・出力動作する機器）に着目した。次世代必須の半導体Ｓｉ基板（シリコン）（直径300mm）を、平面度：300mm直径に対して0.3μm以下（ミクロンメートル）、仕上面あらさ：1nm以内（ナノメートル）といずれも世界一を目指し、実用可能とすることであった。

技術者の構成と情報ライン

　安倍氏とH. E. は、課題設定、目的達成のチーム組織作り、研究期間内のチェックポイント、並びに目的完遂（かんすい）の役割と分担など、チーム内の小チームの有機的連携も含め構成した。小チーム内にチーフを置き、インターネットで逐次研究情報の流動化を、そして常時研究情報のオンライン化も図り、進捗（しんちょく）状況の連携調整を行える仕組みをとった。このチームを立ち上げ、経産省の専門委員のヒアリングに合格するための安倍氏の手の打ち方と力量には絶賛を博した。つまり、地域コンソーシャムを地域ぐるみの整備を整

え、バックアップ体勢も必要充分に備え、周辺環境を築いたのであった。

　こうして地域コンソーシャムの組織は結成され、申請書を提出した。初回審査は不合格となった。さらに不備を修正し、より完成度を上げて、2度目の応募をして合格し、いよいよプロジェクトのキックオフを果たせる運びになった。基本は創案者とチーム代表の創造的着眼力とチーム組織体が一丸となる代表の成功体験への指揮力にかかっている。

第4節　研究開発テーマのものづくり価値

(1) ものづくり技術開発の価値

　研究開発の目的は個人のためとか、単なる世界一を競うだけではない。人びとは勿論のこと、社会や人類・地球のためになることが本来の動機であり、価値の目標なのです。

　本課題は、パワーデバイス（電動出力装置）として電気自動車を初めとして、工業、家電、医療用など多種多様な製品の主力装置として重要な役割を果たすことができる。つまり、時代の最高基幹素材になっている、半導体Ｓｉ基板（シリコン）を、原子の移動なしに（＝無欠陥）、製作時間30分から5分へ（直径300mm）、厚さ0.3mmを0.01mmへ、基板10μm（＝10^{-2}/mm）の厚さでも、反り返り無し、基板のひずみ無し（＝残留応力が零ということ）を目指した。この目標は、人類未踏の技術開発の新世界になる。

　更に重要なことは、最初は冗談のように目標を掲げていたクリーン服着用やクリーンルームを全く使用せずに、普

段着のまま前述の目標を達成しようと言い続けていた。なぜそのような、「現用技術の方向と180度も異なることを提案し続けたのか」と問われれば、次のように答えたのであった。

「第1節の少年の頃の農作業を、さんさんと光りかがやくなかで、新鮮な空気を充分吸いつつ、何の拘束もなく自由に働くことができた大切さを味わっているからです」と答えた。人間は、自然のなかで働くように生まれているのですから。

　加えて消費電力の削減、製品の軽重量・小型化、学術分野への新知識貢献が期待できる。

(2)　ものづくり成就の基盤

　目標に掲げた課題が成就する近道や、艱難辛苦を伴わずに容易にできるような方法はない。30年も40年もただひたすら一道を歩み、万道に通じるような知識や体験を一歩一歩積み重ねる地味な道が基盤となるからです。

　しかも、成功の完成度が100％というようなことを頑なに無理強いすることは本末転倒になる。可能ならばということで、せいぜい担当者に有効となるような環境づくり、あるいはその道の専門家の紹介などであろう。

　半導体材料には数多くの種類がありますが、多くの製品の主力に収まっているのは珪素（Si）なのです。いずれこの素材もこの地位を他に譲ることになろう。

　さて話を戻しますと、どうして原子の移動が残らず歪の

ないSi基板の加工が可能なのかと問われれば、次のように
なる。

　昔から現場の職人さんが行っている「共ずり」という方
法にヒントを得ているのです。ネジを発明した一人のウィ
ットワース（Joseph Whitworth, 1803-1887）のネジは現
在もよく用いられている。この技術は、3面すり合わせ法
を適用している。現場の職人は昔から、高精度な平面を創
る技術として、今も使っている。

　そういう職人さえも、伝統技術を親方から学んだに違い
ない。著者の知るところでは、近代西欧科学の発祥のギリ
シャ文明（エジプト文明から多分学んでいる）にその源を
もっていることを、訪問時に観察した。進化の原理と今で
こそ、その機構が明らかにされているが、当時は暗中模索
であったろう。

　ギリシャ文明は紀元前2900年頃からの歴史があり、そ
のシンボルはアクロポリスの聖なる丘に建つパルテノン神
殿（BC447-432建設）の神柱の組み合わせ面に、選択的定
圧力加工の進化の原理がみられる。総監督の彫刻家フィデ
ィアス、カリクラテスらと共に当時の先端技術を駆使して、
本神殿を建築した。『生産加工の原理』（日本機械学会編、
表紙の裏面、日刊工業新聞社出版、1998）に、掲載写真の
神柱の最終仕上面の痕跡が観られる。

　この方法を応用し、Si基板表面と相対する摺動面のある
広さの面で接触させ、圧力を加え、局所的に突出している
箇所を選択的に、かつ自律受動的に、圧力に見合う分量だ

け除去するというメカニズム（機構）です。

　もう一つヒントになっている自然現象がある。

"雨滴石を穿つ"

　雨水がポトポトと雫として落ちることもあるし、「とうとう」と勢いよく流れ落ち蹲や石うけに当たることもある。するとその落水面が、より外周面より滑らかになっていることに、気付くことがありましょう。

　もちろん、川の上流にある石が下流の方向に転がり、石同士がぶつかり合って、滑らかになっていくが、同時に下流域に到達し、長年動かないままになって、砂まじりの川水によって徐々に磨かれてより滑らかになってゆく。この自然現象を発展させた加工法が、半導体部品、電気・電子部品、光用部品、金型など多くの最終仕上げとして使われている。たとえば、ポリシング、ラッピング、きさげ、ホーニング、噴射加工など多種多様な加工方法に及んでいる。

第5節　信じられない夢のものづくり実現
（1）自然——農民のままの夢の最先端ものづくり

　プロジェクトのキックオフの挨拶の中で一言述べた話があった。半導体を初めとして、多くの分野において、クリーンルームがよく使われている。

　ものをつくるという行為において、人間が携わらずにできるものはありません。その人間が健康な心と身体と技を健全に、そして自然な態勢をもって、発揮し、自由に携わ

ることが基本と、常日頃から思っている。それ故に、「ク
リーンルームなどは使わずに、農民が大自然の中にあって、
太陽の光を燦燦と浴びて、汗を流し、鳥の声、川の流れる
音などを聴きながらと同じように、このプロジェクトの半
導体の加工を達成したい」と話した。ところが不思議なこ
とが起きることがある。研究開発の初めのころは、研究室
の関係者に、クリーン服などの着用を口が酸っぱくなるほ
ど言っていたが、院生も研究者もだんだんとクリーン服や
帽子、靴、手袋、マスクに至るまで、全く着用せずに、しか
もクリーンルームどころかダスト（塵埃）ルームでプロジ
ェクトを進めるようになっていた。

> 研究者の"油断が大敵"にあらず
> "瓢箪から駒"となる。

　ある時研究担当者が、教官研究室に慌てふためいて飛び
込んできた。事の顛末を聴くと、つぎのようなことであっ
た。

　ちょっと所用があって、「機械を動かしたまま、加工液が
よく加工領域にかかるようにして、暫くの間機械から離れ
た」という。戻ってみると、「加工液が停止し、加工液がな
いまま、直径300mmのSi基板と加工工具が接触した乾式
の状態で、加工実験をしてしまった」ということであった。
多分吃驚仰天したのだろう。そうして機械を止めて、どう
したものかと相談に来たのであった。実験室にゆき、Si基

板を観察したところ素晴らしい加工表面ができていることに、大変な驚きを感じた。加工液を注液するより、より光沢があり、平滑な仕上り表面が得られている。これまでの常識では考えられないような加工ができてしまった。

　詳細は、『材料加工層——完全表面への道——』（養賢堂、2007年出版）に因果関係を述べてあり、当書の文献欄に記した論文をも参照していただきたい。後にトヨタ自動車㈱との共同研究によって、成果の主要骨格は、技術移転されることになるが、その時の分析装置によって、加工した表面に酸化膜が生成していないことが証明された。加えて、加工によってダメージ（損傷）が発生することになるが、原子移動、又は加工除去によって生ずるはずの、原子の転位が全く存在しないことが観察され、計測記録も得られたのであった。事実を確実にするために、共同研究していたF社にも分析と観察をお願いしたところ、同じく原子移動の結果として生ずる転位と酸化膜が生成していないことが、検証された。

(2)　夢多き少年時代の夢、実現

　自分ひとりでできることは実に限られている。多くの人びとの智恵や助けをいただき、かつ毎日仕事を続けている先輩・同僚・後輩、そして多くの関係者によって事が成就してゆく。しかも前述のSi基板の"完全表面"の実現を研削（けんさく）という砥石（といし）のみを一台の機械で、粗仕上、中仕上、そして仕上加工ができたのは前人未踏の発明技術によります。

　研究者が暫くの間機械から離れ、元に帰って来た時に加工液が停止していて吃驚した、"偶然は発明の母"ということもあるが、加工液がかかっていても同じ結果は得られている。しかし後者の方法のほうが、たまに転位が生じることがある。

　西欧では、「完全」という言葉は、神のみという信仰があるので、避けることが多いが、ここでは物質の根元は原子という20世紀までの考えから定義しているにすぎない。少年の頃夢中になって、朝から晩まで遊び、いろいろな経験をしたなかの一つ、赤胴鈴之助という北辰一刀流の免許皆伝者と竜巻雷之進が立ち合う「少年画報掲載の本」やラジオ放送を読み・聴きし、真似もした。前述した「真空切り」という「鎌鼬」（後編、第3章第1節）のような無痛切りに相当するかどうかわからないが、いわゆる無損傷の加工ができてしまったのです。

(3) 偶然との出合い

　前述の"雨滴石を穿つ"のところで少し述べている、研磨加工という、いわば紙ヤスリで表面をつるつるにするような加工法、いわゆる"選択的定圧力加工法"という進化の原理の採用をしていた時のことです。

　ダイヤモンドという最も硬い砥粒を砥石として使い、鏡面にする加工をしていた。ところが、Si基板には撓みや歪みが残り、仕上面の粗さも目標に達するところまで進まず逡巡していた。

　ある時、虫の音（ね）を聴きながら風呂に入っていた時に、ぽっと閃（ひらめ）きがあった。Si基板を一定の圧力で押し付けて加工しているが、それを可能な限り零に近づけられないだろうかという閃きであった。そこでダイヤモンドにセリア（CeO_2）という研磨用の砥粒を砥石に混ぜてはどうかということを思いついた。

　後になって気が付いたのであったが、実はSiの硬さ（11～13GPa（ギガパスカル））に対して、セリアの硬さ（5～7GPa）は約半分なのです。専門家としての常識からすれば、「刃物は切る材料より硬い」という教科書記載の常識に縛（しば）られているはずですから、いくらうまい閃きといえどもその硬さの違いを知っていれば多分使っていなかったであろう。

　すなわち、偶然というか無知が幸運を運び届けてくれたのであった。もしもこの砥石によって進化の原理採用加工をしていなければ、この夢の実現は、夢のままであったかもしれない。

（4）　喜びのわかちあい

　唯一の国際団体の会議である、国際製造者会議CIRP（本部：仏）において発表することとなった。もちろんその前にEU・米・アジアを含む主要国の国際特許を取得済みとしておいた。

　国際会議において大きな反響を呼び、祝福をうけた。帰国後独逸のダイムラー・ベンツ社の責任者、そして米国ロチェスター大学の、この分野の世界的権威者である、ヤコ

ブ教授からも直接電話があった。電話の内容は、いずれも共に同じで、道具を含め機械を是非手に入れたい、購入したいとの申し出を受けた。

　その後に到る以前の開発途上においても、国内の研究開発技術者や会社から共同研究などの申し入れが、数件あったが、いずれも研究途中であることから遠慮をしていただいた。

　地域コンソーシャムも一段落し、プロジェクトの成果を社会還元のために学会のシンポジウムや講演を、学会論文として国内外にも公表した。2006（平成18）年３月に学会の最高賞がこの研究に贈賞、授与された。

　振り返ってみると、地域はもとより、関係者として当事者がみな真面目に、一歩、いっぽずつ山を登るように、担当の仕事をこなし、横や縦の連携をとり、明るく前向きに事を進めてきた結果、美しい大輪の、夢の花が咲いたといえるだろう。

第6節　ものづくり名人の誕生

(1)　ものづくり職人との出会い

　あとになって聴いた話に大変感激したことがあった。トヨタとの共同研究を2003（平成15）年から５年間行っていた。作業者の当人は、土・日・祝日の曜日などに、老人ホームや施設を訪問し、津軽三味線をひいて慰問演奏をし、辛い思いやめぐまれない人達の癒しボランティアをし

ているとのことであった。人の偉さに感服した。技術や技能習得も高卒後30年以上、新材料の開発に伴う加工試験や、部品の試作、試験片の製作などを行ってきたという。

　当研究室に派遣される、となった時に、これまでの経験の大半はアナログ的な仕事のものづくりをしてきた自分の技能で、大学の研究や実験に通用するかどうか、大変心配していたとのことであった。また自社の図書館の著書や論文を検索し、読んでみると、とても敷居が高く感じたと、当時の感想を語っていたようです。

　我らの研究室の一員になって暫くすると、研究室の空気が変わってきた。まず、研究室の院生や学生がみな挨拶しあうようになり、明るくいきいきと研究室生活をするようになってきたこと、大変嬉しく、静かに見守っていた。そうして、不思議なことに院生や学生の方から先に、私にいろいろ声をかけてくれるようになった。こんな日々を迎え、送れるようになったことに胸が熱くなり、ほんとうに、一日いちにちの幸せに感謝した。

(2) ものづくり研究室の喜び

　こうして、Siウエハ（基板）の超加工を研究するようになって、まず朝来ると、研究室の持ち場にいる者同士で、何やらニコニコしながら、笑い合っているような場面を見受けるようになった。はてな、と思い、関係教官に聞いてみると、どうも夜の社会学研究に招待され、いろいろ勉強しているようであった。

　院生や学生が研究室に入ってきた頃にくらべると、顔つきがしだいに、大人の顔になってゆくのがよくわかってきた。これから巣立つ若者にとって大変有難い出口教育を学ばさせていただいていることに感謝した。

　一方、研究開発を始めてから３ヶ月を過ぎた頃、不具合を起こし、研究室に迎えがきた。トラブルは、「Si基板表面に"研削焼け"が発生したこと」、並びに「Si薄板のハンドリング（取付け・取りはずし・搬送）の解決」であった。後になって本人の報告書に目を通したところ、理論の説明と解決具体策を共に理解し、見事に解決できたことの喜びが記してあり、安心し、ほっとした。

　このような一連の研究開発をしつつ、研究や開発における創造ということを本格的に学んでいる経過がみられるようになってきた。ものごとの現象から創造を形態化する根本は、常識を超えた世界にこそ存在するのだという、無限の何ら拘束のない世界があることを気付きはじめた姿勢が窺えるようになっている。共に歩んでいる者にとって、何物にも代えがたい喜びになった。

　このような体験は、青春時代の野性的な性質が旺盛な時にこそよい。共同研究派遣の実務者にもその面影を見ることができた。多分以下に記すようなことに努めて来たに違いはなかろう。

ものづくりの喜びを開く基本

①一生懸命に仕事をする。人の２倍も、３倍もするほど拓

けてゆく。

②周りの人に声をかけ、関心をもち、よくコミュニケーションをする。

③野心をもち続けていく。

④夢をもち続ける。

⑤自分を知り、その分野で一番になる。

⑥仕事は後始末ができないと、仕事はできない。

⑦朝は早く起床し、核心的仕事は午前中に片付ける。

⑧夕餉は楽しく、おだやかにとり、夜は12時前には寝る。

⑨熟睡し、自分の健康を、自己診断などしながら留意し、維持する。

⑩機器具への礼に始まり、そして礼に終わることを励行する。

　なぜ⑤の「一番」がよいか、注釈しておこう。

　小学生のころ、一学年上の先輩生も含めて、100mなどの短距離競争はいつも一番であった。また同学年の番長として、弱いものを助け、いじめをする者を懲らしめ、腕力は一番であった。人の後ろは歩かず、横にずれて歩くか、より前に出て一番うまい空気を吸って歩くように努めた。また、学問の道でも人と同じ分野とせず、新たな人類貢献分野を拓き、いざとなった時に自分の分野から解決する方法を考え、丸く収める。もちろん無理な解決はとらず、調和をとりつつ纏める。

　一番は常に革新的であります。それは思い上がりを超越

した創造の世界になるのです。また多くの夢や野心をもつことも可能であります。失敗しても本人が失敗したと悔いたり、後悔することになり、「一番ゆえに他の人びとはわかりませんが、創造の神だけは知っている」ということになる。

これと正反対のことを一言付け加えておきます。

本当の一番ということは、最先端の一番先に進んでいるという見方もありますが、本当の一番は、ある分野において最後尾に残っていて、世界中の人びとがいろいろ解決を図ってきても、どうしても解けない難問題を見事に解き明かすこと、とも言えます。

もう一つ念のため申し添えます。⑥の仕事の後始末のこと。

助手に任官したばかりの頃、毎朝早く出勤し、誰も来ないうちに、研究室とトイレなどの掃除をした。なぜこのようなトイレの使い方をするのだろうと不思議に思ったが、なるほどと思った。その時学んだことは、どのような姿勢でトイレを使えばよいか、ということであった。それは、この利用者がトイレを掃除したことがないのだ、ということもわかった。

同じようなことを毎日使う機械や道具についても言える。機器具を使う時に力で使うのではない。使いやすくよく手入れをしておけば、軽やかに心地よく使え、自分の気分も快くなり、働くことができます。

話を共同研究に戻すと、研究開発の実務者として、上記

の人の他にあと2人の技能者が来学するようになった。さすがにこの2人も前述のものづくりの喜びを開く基本によく精通しているために、院生や学生にとってのよい刺激となって、彼らの眼がより生きいきと輝かしくなり、雰囲気がより明るくなったのであった。

(3)　ものづくり名人の誕生

　人間は、人がつくった地位、名誉、財貨などに、強く関心をもつ人がいる。しかし、その場に立っても、いずれは去ることになる。去る前と後の、人の波の落差は大きく、手の平の上に残った在るものをみて、どう思うか、その後の歩みが肝心なこととして求道される。

　さすがに世界に名実共に一流の企業だと思ったことがあります。

　世界の国際学会発表でもSiウエハの薄膜をつくり、原子一個いっこを鮮明に映し出し、しかも原子の間隔を確実に再現性よく検証しつつ、観察や計測できる技術・技能をもつ研究組織は稀といえる。それほど優れた技量と分析能力をもっている。他にSiウエハを加工して、加工による歪みを測定するが、厄介な数式を使うために面倒になる。ところがその歪みを、外国の有名企業と新方式の測定機を研究し、容易に測定可能とした。

　この新方式の測定は、厄介な取扱い技術研修や知識の制限もなく、簡便にできている。計測の結果、加工後に残留する歪みは、ほぼ認められなかった。

【完全な加工表面創成の技術修得】

　毎週朝8：30から始まって、夕方5：00まで、毎週月曜日から金曜日に帰宅する5日間、毎日研削実験を続けた。始めの3ヶ月ほどは、初心者と同じくいろいろな事を起こし、多くの体験を味わっていた頃は、笑顔も少なかった。ようやく夏休みに入る頃から慣れ始め、半年くらいで機械や器具の取扱いを習得できるようになった。学生や院生とほぼ同じペースで一応の段階に到達しているから、さすがにプロと感心した。というのは、学生や院生は、人生で最も感受性が高く、かつ疲れを知らないほどの体力があり、学術の吸収力も旺盛な時期ゆえに、納得できる。ところがそれと同等の期間にマスターできたのであった。

　機械を使う、道具を揃え、Si基板を設計希望の通りに仕上げるという一連のものづくりの成形過程を十分に体験している。つまりプロフェッショナルゆえの技の裏付が、淡々とした態度に現れているのがよくわかる。

　こうして暫くすると、機械の調子を話題にするようになり、こういう道具があるとどうだろうというようなことを呟くようになり、生徒と共にいろいろな提案をするようになった。

　提案を受け入れて、手配をして、そのとおりのものを取り入れて研究を続けた。ある時は提案通りの結果にもなったが、成功しない場合もあった。

　この態度はものづくりの大切な試練で、何度も繰り返し、

繰り返しつつ、ものづくりの中の一つの加工方法を体得し、何度繰り返しても同じものができる世界に入るための唯一の手法であり、道なのです。

　こうして約３年間を実践し、多くのことを体験し、この分野のこの方式による解決能力を身につけたのであった。

『ものづくり分野の成果を一般化する』

　新しい発見や発明した再現性ある事実は、普遍化し、一般化することが務めです。世の人びとに広く問いかけ、また利用されることによって、より社会秩序の組織性や柔軟性に貢献し、安心の歩みがとれるようになる。

　ある一定の結果が出て、次世代のものづくりに繋がる研究の開発課題については、一定期間ごとに新技術開発本部の審査をうけることになっている。その長は財界の大役をはたした重鎮で、今は前述の役の長についている。

　研究の発表がすみ質問や意見交換が始まり、ほぼ質疑が終了した。最後に一言ということで、「**こんなこと本当にできるのかよ、おい、どんどんやれよ!!**」という力強い激励をいただいたよと、どこからともなく私の耳にも入ってきた。なんと嬉しいことかと、しみじみとした喜びが胸いっぱいに広がった。

　以上のような経過を辿って、一台の機械と砥石のみの工具を使用し、直径300ｍｍ（厚さ50μm）の工作物を酸化膜と原子損傷が残存しない加工方式を完成したのであった。加工環境は、脱クリーン服とクリーンルームなしという条

件の、自然のままの状態で作業を行って達成したのであった。人類初の未踏の技術発明である。

　毎日まいにち電子機器や半導体などを含め、ものづくりを行っている人達にとっては、多分「そんなことは無理です」という話が返ってくると思います。滅菌や塵埃など、他にも考慮すべき課題が沢山ありますので、一つの提案ということで参考にしていただきたい。

　こうして５年間に亘って、このものづくりの技術を修得し、診断もできるように大成した。そして遂に、会社創業以来数名しか誕生していない、ものづくりの名人位を授けられた。

　本書の内容を一つの箴言にあらわすと、

　つぎのようになります。

正直に心のものづくりを行う者は
正直な心のものづくりの命を生む。

"真白な初心のころの里の秋"

完

あとがき

　本来、あとがきはわざわざ文字に表さないで、何ともたとえようもないような、余韻の空間が、ほのぼのとしていつまでも続き、残っていくものであろう。読者と著者とのあいだに、暗黙の余韻空間の共振が生まれれば、尚更いうまでもなかろう。

　たまに仏蘭西の映画に、会話も字幕もなく、自然や街並みの映像空間のまま、おお映しから始まり、「Fin」の仏文字が徐々に小映しになってゆき、音もなく幕がおりてゆくことがある。

　大映しの「End」とか、「終」の文字が無いのは、空間にも美しいあとがきが残るのかもしれない。

　いま、深まりゆく秋、人生の歩みを教えられる。
　楓(かえで)は紅葉(こうよう)し、木蓮や銀杏も黄葉(こうよう)し、まことに美しい。紅色、黄色、陽光を浴びて輝くと一層荘厳さを増す。
　微(かす)かに風にふれると、ひらり、ひらりと落葉し、葉が庭や街路を埋め尽くしてゆく。燃える火のような、そして金色の絨毯(じゅうたん)となって、土に落ちた種を包み、次に生まれてくる命のために、ひとことも話さずに、無駄のない美しさを残し、古里に帰ってゆく。

これが、ものづくりの在りようのあとがきであるまいか、と思っている。

　たとえば女の人形に男の魂の命を入れると、ほんとうに生きているようになるという。

　これは、卵巣で、まず初めに目ができ、そして鼻ができるのと同じ順序で、無意識にかつ偶然に作っていた、ある人形師の作法に通じている。

　ものづくりの根本を究めたような筆の運びとなり、独り善がりになっている。くらべることではないが、道元の『典座教訓』は和食の真髄にふれている。

　もっとも身近であり、人の命の源になる食事づくりは、ものづくりの典型といえる。火を発明するまでは、動物と同じように狩猟や自然採取によって、生物のように自然生体の循環系にあった生活をしていたのであろう。人類は、地表のほんの薄い大気圏から酸素や水をとり、炭酸ガスと水などを排出し、自然に戻している。人類の創成期に比べると桁外れに人口が増大している。

　ものづくりのエネルギー需要増大と地球温暖化を促進する炭酸ガス（CO_2）排出量は、地球を危機に陥らせようとしている。

　同時に人口増加による人間自体のCO_2排出量も絶大な影響を及ぼしている。人口の多い国々の対応も迫られている。

　手や足の代わりとなる道具、ものをつくる機械の機械、そうしてそれらの機器具が安定して人びとと携わって動き、目的どおりの品物を作り続ける研究、開発、学術に直接関係して50年になる。幸いにも大きな失敗もそれほどなく、歩むことができた。誠に有難く深く感謝している。

　そのおおもとは、『仕事の段取り（ものごとを進める順序、また、その準備）と、後始末（何かをしおわったあとの整理、あるいはあとに残った問題の整理、並びに後の仕事のスムーズな繋がり）』を農作業や家屋の普請の時に父の手伝いや、後ろ姿から学んだことの影響が最も大きい。

　そうして、仕事を一生懸命にやるようになった30歳前半の頃、同僚の先輩からひとこと言われたことがあった。

　今やっている仕事について、「考えながらやった方がいいよ」と言われた。その通りに、仕事の中味と、その仕事の後のことと、仕事のほんの少し先の手配りのことを考えながら、進めることにした。するとどうだろう、仕事のスピードは少し遅くはなるが、たいしたことではない。それよりも、余計な体の動きが少なくなり、気持に「ゆとり」ができて、心が軽くなり、しかも、仕事の後姿や仕事を先に進めた時の心の映し絵が自然に湧いてきて、想像できるようになった、のであった。一仕事を終え、仕事の後姿をみると何とも言えない落ち着きが見えた。何と美しいのだろうと味わう時、何とも言えない気持になる。どうも同じような姿を、幾度か父親に見たことがある。

　その提言をいただいた先輩は、極めて優秀なひとであり、

クラシック音楽については、きわめつきの人であった。しかし、大企業を中途退社し、大学の講師の職に就任したが、そのままで、余り欲をもたずに全うしたようであった。

人類は宇宙・自然から学び、いろいろな仕事やものづくりを採り入れてきた。まず初めに、人類は、祈りという所作から宗教が生まれ、哲学が、そうしてその中から科学の芽が生まれ始め、ついに西ヨーロッパのある限られた地域で、科学が誕生した。

ものづくりの礎は、科学となる。科学の発見知識が総合され、ついに技術が発明され、人類の体験智（技能）と融合して、ものづくりの世界が開かれることとなった。

ものづくりの科学と技術は、人類の欲望を満たす、極めて強力で刹那的満腹感を与える能力をもっている。

ここで問われるのが、F. ベーコンらが提唱するフィランスロピーとなる。

エリザベスⅠ世とジェームスⅠ世の2代の英国王に仕え、後に文部大臣にも就任した近代科学の祖といわれるフランシス・ベーコンが、科学の精神基盤をなす「Philanthropy」を確立した。

科学と技術の哲学的基盤は、渡辺正雄氏の卓越の著書『科学の歩み・科学との出会い（上・下）』（培風館、1992年）をご覧いただきたい。その一文に、「人間は、神の特別の被造物にもかかわらず、神の命に背いて禁断の実を食べた（科学の発見といえよう）、がゆえに楽園から追放された（つ

まり、"人間が欲望を獲得"してしまった)」と述べている。

　このような箴言は、弾性の法則の発見者、ロバート・フックの名著、『ミクログラフィア』（1665年）にも、「知識の力をもつことは、人類の一大特権で、他の被造物にはみられない」と述べ、フィランスロピーへの道を説いた。また地動説を唱え続けたGalileo Galilei（1564 ～ 1642年）は「われわれの眼前に開かれている"宇宙という書物"は"数学の言葉で書かれている"から、数学を学んで数学の言葉で読むのでなければ、正しく理解することはできない」と述べ、さらに科学の道に至る自然の哲理を説いている。

科学を使って、技術を創る
ものづくり教典の根本

　　F. ベーコンの『大革新』（The Works of Francis Bacon）より引用。

　私は、すべての人々に一般的な勧告をしたい。

　すなわち、何が科学（＝知識）の目的であるかを考えていただきたい。そして科学（知識）を、

　　１．心を楽しませるためでもなく、

　　２．論争のためでもなく、

　　３．他人に優越するためでもなく、

　　４．利得のためでもなく、

　　５．名声のためでもなく、

　　６．権力のためでもなく、

　　７．その他この種の低いことのためではなくて、

> "人生の福利と便益のために求めていただきた
> い。"
> そして、科学（知識）を愛において完全なもの
> となして支配下においていただきたい。
> さらに、一度発見した知識（＝科学＝情報）は、
> 簡単に消せない生命力をもっている。

　現在グローバリゼーションの掛け声のもとに、先進国
（科学による技術創り、すなわちものづくり）から経済的貧
困途上国へと、怒涛のごとき侵食が続いている。すなわち、
"ギリシャ思想とキリスト教"の影響を受けた西ヨーロッパ
が、科学文明という鬼っ子を生み出すに至ったということ
になる。

"科学文明の基盤と正体"

「ギリシャ文明（哲学＋数学＝知識；神の力をあらわす、第
Ⅱの聖書）とキリスト教（第Ⅰの聖書；神の意志を示す）
が生み出した科学文明〔＝物質文明、または力の文明とも
いう（物質はエネルギーの塊りですから）〕は、民族と結び
ついた文明とは違う。」

「科学（物質）文明は、自然の法則に依拠するため、特定
の国民や民族が所有するものではなく、国境がなく自由に
使える性質をもつ。」

しかし、"科学文明を受け入れる条件"がある。

「科学文明は、生まれは西ヨーロッパという祖国をもつ。この文明をとり入れた国々は、未曾有の物質的繁栄を遂げる。が、それ自体に物質文明に結びついたキリスト教に相当するような"第Ⅰの聖書"といわれる、精神的秩序の聖典を産み育て共存させることが、この自然科学文明を受け入れるための必要、かつ十分な条件であり、受け入れるにはこれを満足する義務があります。」

> 科学という自然の発見知（情報）を使うことを技術（形式知）という。
> つまり情報（知識）の総合です。

　故に、"科学（発見という言葉を使う）そのものは、決して創造を行いません。"

　創造は、文芸がそうであるように技術（発明という言葉を使う）の世界の出来事なのです。

　つまり、

　"科学は技術に対して文芸における言語と同じ役割を果たすだけなのです"と定義できます。

　たとえば、「物と物の相互作用の関係を取り扱うことは"科学と工学"に関すること」になる。もっと端的に言えば、動かない物、変化がない物を扱うことはできません。われわれが取り扱っている"ものづくり"は、すべて、運動し、

変化している世界の物を、科学という知識（情報）を使って、ものづくりという技術（含技能）に応用していることになる。

"ものづくりの成立"

　人間は、宇宙・自然の循環連鎖体系の世界から出てしまった。即ち "欲望の獲得"、この悲嘆から解放されたい、それが人間の根源的願望になったのです。

　科学を発見した西ヨーロッパは、その回復はイエス・キリストを救世主として受け入れることによって、かつそれによってのみ成就すると説いている。西欧の近代科学誕生は『キリスト教的世界観』が前提となっている。

　さらにいうと、

　　　　「『楽園のある程度の回復』は、第Ⅱの聖書である
　　　　科学（数学的構造物、または和声学的秩序をもつ宇
　　　　宙ないし自然）の力を、キリスト教的人間観にもと
　　　　づく人間愛（Christian Philanthropy）の動機のも
　　　　とに広く Human Welfare（人間の福利）を増進す
　　　　る社会的要因として働かすことによってのみ成就す
　　　　ると説いている。」

　以上は、グローバリゼーションの名のもとに大膨張していく、宇宙のインフレーションの波動に乗っている国々すべてに言える。章前、第1章第6節に述べたこと、つまり

科学を受け入れ、技術を創造し続けている国や民族の一人ひとりが、事を起こし収める権利と、義務の責任をもっている。

日本の科学文明受け入れとものづくり技術

　第Ⅱの聖書という「神の力をあらわすもの」としての科学を受け入れる前提条件、即ち第Ⅰの聖書（Bible）に相当する哲理が日本に存在し、あるいは誕生したかという課題がある。

　聖書の創世記を引用する。

「初めに、神が天と地を創造した。地は形がなく、なにもなかった。やみが大いなる水の上にあり、神の霊は水の上を動いていた。その時神が『光よ、あれ』と仰せられた。すると光ができた。神はその光をよしと見られた。そして神はこの光とやみを区別された。神はこの光を昼と名づけ、このやみを夜と名づけられた。こうして、夕があり、朝があった。第一日。」以下第二日から第七日へと続く。

　この記事に相当する神の存在は、日本にもある。

　日本の神話の原点となる記述は、古事記の天地創造の一文にある（または工学の権威者である佐藤健児先生の『日本の神話』（工業調査会、昭和55年版）にもある）。

「そもそも始めは混沌としたなかで物が、凝り固まり、物の兆しと形とが、まだ表れなくて、物事の名前も無くその働きも何も無い有様で、その形を知っている者は誰も無い状態であった。しかし『天』と『地』とが始めて別れて二柱の神が始めてこの世の始めとなり、『陰（夜）・陽（昼）』が表れて二柱の万物の『祖（おや）』となった。こういう訳で（伊邪那岐神は）よみの国と現世とに出入して、『日』と『月』が目を洗う際に現れ、海水に浮き沈みして身をすすぐ時に多くの神々が現れた。」

　西欧のキリスト教はイエス・キリストを通して、一神と聖約することに対して、日本は「八百万の神（やおよろず）」の多神教（山の神、国の神、火の神、水の神、海の神、川、野、道、坂、岩、風、波、雲……等のごとく）崇拝とされているが、もともとは天地創造の一神が始まりとみなせる。
　西欧も日本も共に「光の表れ」が始まりとなっている。たとえば日本の神は「天照大神（あまてらすおおみかみ）」、また仏教では「大日如来」のごとく、「光の表れ」とみることができよう。
　仏教はインドからアジアの諸国へ広まり、538年に日本に伝来した。ここで、日本人の本質的な体質かもしれないが、神道の伝統文化をもつ日本人は、「神と仏は水波の隔（すいは）て（へだ）」という態度をとったのであった。伝来した当初、仏を他国神、仏神、蕃神などと称したが、仏は日本の神と本質的に異なる存在でないと理解したのです。ご存知のように

その後、神、仏について分離令や混淆（又は習合）など紆余曲折はあったものの、日本民衆のなかには、今も神仏は一体という神仏観念が生きている（『日本　神さま事典』三橋健・白山芳太郎共著、大法輪閣）。

　日本人は不思議な民族というか、諸外国から多くの物や事が伝来してくると、しばらくの間、「日本伝統の孵卵器に入れて保温し、入れ替り、立ち替り温めているうちに、諸外国にないような新生命体を産み出し、育ててしまう」というような民族性をもっている。

　日本には、キリスト教と科学文明のバランスのとれた哲理の確立は、確かに鮮明には存在させ得なかったかもしれない。それゆえに、人命にかかわる公害を起こしてしまっている。

　勿論西欧にも英国を初めとして、公害汚染を発生したことは、歴史で学んでいる通りではあるが、人命や障害にまで及んでしまった日本ほどではなかった。

　たしかに西欧の第Ⅰ、第Ⅱの聖書の両存だけの問題ではないかもしれない。これくらいならということと、少しでも皆の暮しが足りるようにということで一心不乱に、わき目もふらずに進んできたのであろう。そんな時に、ブレーキを踏み、掛けつつ、うまくバランスをとる制御の心をもつ勇者になりづらかった、という日本人特有の属性に閉じ込められていたに違いなかろう。日本人の風土として、企業城下町、村落共同体、同窓会等のような仲間意識というか、

組織を守るということの長い歴史をもつ民族にとって、個人の意志を通し、遂げるという訓練は極めて勇気のいることであった。西欧はより個人主義を重んじているからと言えばそれまでとなる。が、そこは、土曜日や日曜日に本格的に心を洗う自分自身の時間を、しっかりと、そしてゆっくりと、憩いのひととき（Moment of Relaxation）をもつことが肝心であると確信している。

　日本は「八百万の神」を奉っているが、聖書（Bible）にしても、また日本の天地創造にしろ、本体は宇宙・自然を開闢した一神に至ることになる。日本民族が、「八百万の神」を信仰する理由は、太平洋沿岸にあって、地殻変動と共に太平洋の波浪や風雨によってもたらされる天変地異に、直接影響を頻繁に受ける環境に在るためとみなされます。山、川、地殻、雷、火山、火事、風、雨など、ことごとく大きな災害を経験しながら民族の生命を守り続けてきた。その恐れや恐怖が先祖の血に刻み込まれ、それぞれの宇宙や自然の現象に対して、強く畏敬の念をもつに至ったに違いはなかろう。

　そうして先祖は祈りや歌舞音曲の祭事によって治まるように、その一つひとつの現象を起こす源に神の存在を認め、奉ったのであろう。そうして耕作可能な平地が少ないために、狭い農地面積をもって、少資源国の暮しを立ててきた。それも、朝から夜まで本当に遅くまでよく働く、勤勉あっての国家ができあがってきたのであろう。

　頻繁に、それも繰り返して起こる天変地異に対する暮し

の立て方は、一つひとつの異変と対策をとり、折り合いをつけ、その先にはその現象を神として奉ったのであろう。いわゆる、個人との聖約を交わす祈りを捧げた。

このような天地異変の具体的な対策は、一人では不可能であろう。それゆえ、村落共同体として、組織の中の一人という必然性をもつことになる。そうして四季、二十四節気、七十二候とそれぞれの天変地異を奉り、組織力を総動員して生命、財産を守ってきている。

それがゆえに、ここまで築いてきた伝統や文化を土壌とした保守的な「ものづくり」の創造性が続いていると言えましょう。日本のものづくりは、英国は勿論のこととして、最終的には独逸国のものづくりを師と仰いだ。

両国はともにギリシャ文明を具体化し、"宇宙・自然という書物は、数学的構造でできている"という哲理を受け入れて、多くの汎自然的な数理方程式を導き、表している。

我々日本人が科学を受け入れ、英国、仏国、独国、米国、伊国、蘭国等から多くの教えを受け入れた。なかでも、ものづくりをする機械や工具をつくる機械を発明した、偉大なる発明者、"機械の父"と呼ばれる偉大なる人がいる。

明治をひらいた元勲の中に、立派な識者がいたのであろう。G. Schlesingerが著した『ものづくりの機械（Machine and Tool)』を翻訳し、日本のものづくり（機械文明）の原点として、学者はもとより教科書に用いられてきた。明治以降の科学を教本とする物質文明は、中核は機械文明、

いわゆるものづくりが、具体的核心となって顕在化したのであった。この態度の土台には、会社は勿論のこと、多くの組織体において、日本の魂となる神棚が祀ってあり、礼に始まり、礼に終わる。当然その間の作務態度は武士道精神というか、スポーツマンシップの根本を、一貫してつらぬくような仕事振りによって完成している。

　いま日本は生体文明の道を着実に歩んでいる。

　近代日本への夜明けを開いた織田信長、そうして士農工商とはいえ、それまでの多くの地域や住民が築いてきた風土的ものづくり、それを支えている多種多様な、かつ小さな国々が離散的に存在した。ところが風土的な小さな国の文化と芸術が融合され、日本文明に至る孵卵器、すなわち江戸時代を産んだのであろう。このような時代の始まりは、ヨーロッパも同じ頃に、暗黒時代から16、17世紀に現代に至る近代化の夜明けが始まり、日本も軌を一にしているとみなせる。偶然というより、人類の遺伝子発達にそのような根っ子が、どうもあるような気がしている。

『これからの道』

　あしたという日は、自分のために新しいあしたがくる。そうして自分に新しい命が生まれて一年に365回新しい明日の自分がやって来ます。一つの例を挙げよう。

「心」という字は字画が繋がらない。心は心を注がないと繋がれない。それはその「物・事」に命を吹き込むことによって、心を生む生命が生まれる。本格的なものづくりは、

その物・事の使い手が、作務の最中に、生きもののように生命の手応えを感じることなのです。

　ある重要無形文化財の人形師は、男の人形をつくる時には、女の魂を入れるという。勿論、女の人形にも、男の魂を入れる。こわい人形はやさしい人でないとできないとも言う。それを「ものづくりの根本、つまり生命力という命を吹き込むこと」と語っている。けっして難しいことではない。人、たとえば「女性の真の美しさは、着飾っている女はつまらないという。普段着にこそ、その美しさが現れる」と述べている。

　このような体験はいずれも、そのものやことの対象と、よくよく語り合い、何を望み、どうなりたいのか、真の姿になるためのお手伝いをする作務なのです。

　人類が誕生し、地球の隅々にまでゆきわたり、また往くこともでき、十分と言える程、知り尽くすようになった。はしょって端的に言えば、「西欧が発見した科学という国籍をもたない文明が、地球を一周し終え、一定の新生面の世界が生まれた」といえる。人類は科学を見出し、次々と知識を発見している。一回知ってしまった知識はなかなか消せない。

　これからの人類は、あるいは組織体（国家、社会、民族、会社など）は、本格的な存在価値や存在意義を汎自然的に融合させる本格的な課題を求められている。

　勿論、個の自律的生活や暮しを立てるという基本原理を自覚するという、作務態度を備えつつということになる。

すなわち、週日のうちに、前述のような汎自然的な宇宙空間の世界に心身を置き、自身の心技体を「反芻」し、自分の内心と対話する空間をもち、心洗するバランスの取れた生体的生活自然連鎖体系が求められている。

このような世界を、人類が、或いは個人が求め、歩むことによって、汎自然的なものづくりに近づいてゆくことになる。

人類にとっても、個人にとっても決して困難な道ではない。一歩いっぽ、静かに、よくあたりを見廻しながら歩めばよい。早くすればする程、裾野が狭くなり騒がしくなる。静かにゆっくりと歩む程、多くのつながりや賜ものを授かることになる。

完

著者プロフィール

江田 弘 （えだ ひろし）

〒152-0031
東京都目黒区中根2丁目3番5号
㈱東京ダイヤモンド工具製作所

昭和17年茨城県生れ、大阪大学工学博士、宇都宮大学助教授、茨城大学教授、韓国立漢陽大学博士指導、茨城大学工学部長補佐、京都大学工学部（併任）、茨城大学評議員、琉球大学大学院（併任）、日本機械学会部門長、文部省学術審議会委員、放送大学講師、経済産業省（NEDO）プロジェクト代表、精密工学会理事、評議員、国際生産技術者協会(SME)日本代表、国際生産技術誌（IJMST、アジア・オセアニア代表）編集長、日本機械学会フェロー、精密工学会フェロー、茨城大学ベンチャービジネスラボラトリ長（SVBL）、茨城大学名誉教授、東京ダイヤモンド工具製作所研究所長（平成20年）兼特別顧問（令和2年）、SME会長委員、精密工学会名誉会員、日本機械学会技術賞、精密工学会賞など22回受賞、特許など47件、著書41篇（含む共著）、原著論文166編、国際会議論文134編、口答発表論文610編。

ものづくり教典

2023年9月15日　初版第1刷発行

著　者　江田　弘
発行者　瓜谷　綱延
発行所　株式会社文芸社
　　　　〒160-0022 東京都新宿区新宿1-10-1
　　　　　　　　電話 03-5369-3060（代表）
　　　　　　　　　　　03-5369-2299（販売）

印刷所　株式会社晃陽社

ISBN978-4-286-24456-3